Le manuel
du parfait petit
masochiste

Du même auteur

Comment devenir une mère juive
en 10 leçons

illustré par Wolinski
Éd. J. Lanzmann et Seghers
1979

Dan Greenburg
avec la collaboration de
Marcia Jacobs

Le manuel
du parfait petit
masochiste

ILLUSTRÉ PAR MARV RUBIN

Traduit de l'anglais
par Nathalie Savary
avec la collaboration de
Pierre Hassner

Éditions du Seuil

COLLECTION ANIMÉE PAR
CLAUDE DUNETON, NICOLE VIMARD ET EDMOND BLANC

EN COUVERTURE : dessin de Sempé
extrait de l'album *De bon matin,* Denoël, 1983.

TITRE ORIGINAL : *How to make yourself miserable.*
ISBN : 0-394-73168-9, Random House, New York.
© 1966, Dan Greenburg.

ISBN : 2-02-008693-X.
© Mars 1985, Éd. du Seuil pour la traduction française.

Introduction

Cela fait trop longtemps que vous, le masochiste ordinaire, essayez d'expier vos fautes par des moyens aléatoires.

Cela fait trop longtemps que, pour vous livrer à cette autopunition, vous avez dû vous contenter d'angoisses mal conçues, de punitions tâtonnantes, de châtiments inopérants — tout simplement parce que ce domaine dédaigné par la science officielle en est resté au stade de l'amateurisme.

Le temps de l'ignorance est révolu. Voici enfin le manuel que vous attendiez : la première investigation systématique de l'art de se torturer et de s'humilier soi-même. Et, chemin faisant, nous vous initierons aux méthodes que nous avons expérimentées nous-mêmes avec le plus grand profit.

Nous souhaitons modestement, mais vivement, qu'à travers ces pages vous puissiez trouver l'inspiration et les instruments indispensables pour mener une vie vraiment pénible, misérable et dépourvue de sens.

COMMENT
SE RENDRE MALHEUREUX
SANS L'AIDE DE QUICONQUE

1. Techniques de base
pour se torturer

Pourquoi vous devez
vous rendre malheureux

Nous pouvons l'affirmer sans risque : vous êtes coupable.

Coupable de quoi, nous ne le savons pas et franchement nous ne voulons pas le savoir. Mais il y a de bonnes chances pour qu'il s'agisse de quelque chose de pas très ragoûtant.

Peut-être caressez-vous le projet d'inonder d'insecticide le café matinal de votre père ou de filer à Venise avec la femme de votre meilleur ami ? Mais peut-être s'agit-il de quelque chose de plus piquant, comme de tendres sentiments pour (1) le capitaine de votre équipe de foot, (2) votre sœur, (3) votre doberman, (4) votre parapluie ? Disons pour l'instant que nous vous accordons le bénéfice du doute et admettons que tout cela soit resté au niveau du fantasme.

Quoi qu'il en soit, c'est votre affaire et nous ne voulons pas être indiscret. La seule chose qui nous importe est que vous ayez joué avec certaines idées que la société réprouve, que vous vous sentiez coupable de l'avoir fait et que, très logiquement, vous souhaitiez être puni pour votre faute.

Mais à qui avoir recours pour cette tâche : votre père ? votre meilleur ami ? votre capitaine ? Non. D'abord ces gens-là ne connaissent même pas votre culpabilité. En plus ils sont bien trop occupés à se punir eux-mêmes pour prendre la peine de vous punir. Il est clair que, s'il doit y avoir punition, vous allez devoir vous en charger personnellement. Cela dit, comment vous y prendre ? Comment vous rendre aussi malheureux que l'exige l'étendue de votre faute ?

Vous avez sûrement déjà mis au point quelques méthodes de votre cru pour vous rendre malheureux, comme ressasser des craintes morbides à propos de cette douleur persistante à l'estomac ou vous reprocher de ne pas avoir répondu vertement à cet odieux employé de la Sécurité sociale.

Mais quoi que vous vous infligiez actuellement, nous pouvons vous aider à faire mieux.

Dans ce livre, nous vous indiquerons deux démarches faciles à suivre qui vous mèneront infailliblement et implacablement vers le malheur. La première, la *Création d'Angoisses,* est une démarche solitaire. La seconde, *Comment conduire les autres à vous rejeter,* nécessite l'involontaire complicité d'autrui.

Ces deux techniques, associées dans un programme intensif mais judicieux de souffrance et d'autotorture, vous permettront de toucher au but jusqu'alors inaccessible : le Complet Désastre Personnel.

Venons-en à notre première technique.

Comment créer une Angoisse de Première Classe

Savez-vous comment vous faire du souci ?

Bien sûr.

Mais le savez-vous vraiment ?

Reformulons la question : Savez-vous comment vous faire du souci d'une façon créative ? Savez-vous transformer les petites peurs et les inquiétudes banales de la vie quotidienne en véritables angoisses, sources de souffrance ? Non ?

Nous allons vous l'enseigner. La première étape consiste à apprendre à sélectionner une Crainte à Trois Dimensions.

Comment sélectionner
une Crainte à Trois Dimensions

Certaines craintes n'offrent pas vraiment matière à angoisse. Il ne s'agit pas, par exemple, de craindre une visite chez le dentiste et la découverte de caries si *a)* vous évitez de grignoter entre les repas et vous vous brossez régulièrement les dents avec un dentifrice anti-plaque dentaire dans le cadre d'un programme bien suivi d'hygiène dentaire et de visites de contrôle régulières ; *b)* toutes vos dents ont été dévitalisées ; *c)* vous portez un dentier.

Non, ceci, à l'évidence, ne présenterait aucun intérêt.

Pour qu'une inquiétude puisse prétendre au statut de Crainte à Trois Dimensions, elle doit remplir trois conditions ou dimensions importantes :

1re dimension : Ce sera un véritable calvaire si vos inquiétudes se révèlent fondées.

2e dimension : Il doit y avoir un début de preuve que votre inquiétude va effectivement se révéler fondée.

3e dimension : Il devra s'écouler un laps de temps important avant que vous ne puissiez découvrir si votre inquiétude était fondée ou non.

Les inquiétudes à propos de la santé sont certainement parmi les plus prometteuses. Choisissons, à titre de démonstration, quelque chose de nettement plus inquiétant qu'une éventuelle carie. Prenons, par exemple, votre peur d'avoir une maladie cachée mais mortelle. Cette peur peut-elle devenir une Crainte à Trois Dimensions ? Oui à coup sûr si la maladie que vous avez choisie remplit certaines conditions et satisfait aux trois dimensions exigées.

1re dimension : Avez-vous choisi une maladie susceptible d'entraîner non seulement des complications dangereuses, mais aussi un traitement sans fin, coûteux, pénible et humiliant ?

2e dimension : Avez-vous choisi une maladie dont les premiers symptômes sont si vagues que vous pouvez les déceler aussi bien dans un rhume que dans un dérangement intestinal ?

3e dimension : Avez-vous choisi une maladie dont le diagnostic nécessite une absence prolongée de votre travail et deux jours d'examens à l'hôpital ?

Si vous pouvez répondre oui à toutes ces questions, vous tenez bien là une véritable Crainte à Trois Dimensions et vous pouvez dès maintenant la transformer en Angoisse de Première Classe. Mais supposons que vous n'ayez pas cette chance et que votre inquiétude ne remplisse qu'une ou même deux de nos conditions : ne soyez pas effondré. Tout peut encore s'arranger lorsque vous aurez appris à maîtriser le pouvoir — fondamental — de la Pensée Négative.

Le pouvoir de la Pensée Négative

La Pensée Négative c'est, en imaginant un petit nid d'amour au milieu des rosiers, se représenter immédiatement les traites à payer et les roses envahies de pucerons. C'est être convaincu que « dans la vie faut s'en faire », « à chaque jour ne suffit pas sa peine », « tant qu'il y a de la vie, il y a du désespoir », etc.

Chez certains cette aptitude est innée. D'autres la développent grâce à des années d'entraînement intensif. N'importe quel juriste, par exemple, vous décrira par le menu les ennuis que quelqu'un a déjà eus ou pourrait avoir dans votre situation, quelle qu'elle soit.

Comme il n'est pas très facile d'avoir en permanence un juriste avec soi, il vaut mieux apprendre à imaginer tout seul ce que chaque situation recèle de dangers potentiels.

Mais revenons à votre peur d'être gravement malade.

Imaginons que votre incapacité à satisfaire toutes les conditions requises pour obtenir une Crainte à Trois Dimensions provienne de ce que, il y a trois ou quatre mois, vous avez subi un examen complet dont le bilan a été tout à fait satisfaisant. Votre situation est-elle pour autant dépourvue de menaces ? Absolument pas.

D'abord, comment pouvez-vous être sûr qu'un mal sournois n'a pas surgi *depuis* cet examen ?

Ensuite, comment pouvez-vous être sûr d'avoir tout dit au médecin, de n'avoir pas négligé de lui signaler un petit fait que vous n'aviez pas jugé assez important pour être mentionné à l'époque alors que n'importe quel membre du corps médical l'aurait immédiatement reconnu comme LE symptôme type ?

Ou, en admettant que vous n'ayez pas oublié de lui signaler le moindre petit fait significatif, comment pouvez-vous être parfaitement sûr qu'il était assez compétent pour interpréter correctement l'information fournie ?

Et, même en admettant qu'il l'ait été, comment pouvez-vous être sûr qu'il a effectué un examen *complet* ?

Et, d'ailleurs, à partir de quand un examen est-il vraiment complet ? N'existerait-il pas un examen supplémentaire — peut-être le seul, justement, qui aurait révélé votre maladie — auquel il a négligé de vous soumettre parce que cette maladie est trop rare et l'examen trop compliqué ? Par exemple, vous a-t-il soumis à une série complète de radios, à

Fig. 1 : Exercice de Pensée Négative pour débutants

Sans vous référer à la liste ci-dessous, combien de risques potentiels pouvez-vous repérer dans cette scène ?

Liste non limitative :

A. Un soleil intense pourrait décolorer vos vêtements ; l'herbe pourrait les tacher irrémédiablement.

B. Vous pourriez recevoir une crotte d'oiseau sur la tête.

C. Un avion pourrait par erreur vider sa fosse septique sur vous ou votre voiture.

D. Des bouteilles pourraient se renverser et leur contenu se répandre sur vous.

E. Les boissons sont trop sucrées : elles pourraient provoquer des caries.

F. Le pollen pourrait irriter vos muqueuses nasales.

G. Attirée par les fleurs, une abeille myope pourrait

accidentellement entrer dans votre oreille, s'y coincer et devenir hystérique.

H. Une branche pourrait tomber et vous fracasser le crâne.

I. La chaleur étouffante pourrait provoquer une transpiration excessive et gênante.

J. Le fait que les toilettes soient très éloignées pourrait être terriblement angoissant.

K. A la longue, le poids du bras pourrait irriter l'appendice.

L. Votre compagne(gnon) pourrait brusquement se rendre compte que vous êtes terriblement ennuyeux(se).

M. Depuis un hélicoptère, un photographe pourrait prendre des photos compromettantes.

N. Caché sous l'eau, un policier de la brigade des mœurs pourrait être en train de vous surveiller avec un périscope.

O. Un ours particulièrement maigre est peut-être tapi derrière l'arbre.

P. Vous pourriez buter sur un caillou et vous fouler le pied ou attraper le tétanos en marchant sur un clou rouillé.

Q. Vous pourriez vous casser les dents sur une pierre blanche et lisse que vous auriez confondue avec un œuf dur.

R. Un autocar pourrait échapper au contrôle de son conducteur et écraser votre voiture.

S. Un promeneur malveillant pourrait desserrer le frein à main de votre voiture ou y bomber des obscénités à la peinture indélébile.

T. Un tremblement de terre pourrait provoquer un glissement de terrain.

U. Une brusque coulée de lave pourrait vous engloutir.

V. La foudre pourrait frapper l'arbre et vous électrocuter.

W. Un parasite pourrait se nicher dans vos cheveux.

X. Une crue soudaine pourrait vous emporter.

Y. Un poisson rouge pourrait sauter hors de l'eau et s'attaquer à vos orteils.

la série que l'on fait subir aux pilotes d'essai ? Non ?
Alors c'est probablement la seule chose qui aurait
pu vous sauver.

Imaginons qu'il ait effectivement pratiqué un
examen aux rayons X mais qu'il n'ait rien trouvé
d'inquiétant. Comment pouvez-vous être sûr de ne
pas avoir bougé pendant que l'appareil était en
marche et la plaque exposée ? L'image est donc
peut-être floue et ne permet pas d'apercevoir les
caractéristiques subtiles mais symptomatiques de
votre mal.

Ou, enfin, admettons même que vous soyez
parfaitement sûr de ne pas avoir bougé pendant que
la plaque était exposée. Comment pouvez-vous être
sûr qu'un jeune interne — qui développait en même
temps des films pornos dans la chambre noire — n'a
pas accidentellement interverti vos clichés avec
ceux d'une personne bien portante, elle ?

Bref, à l'aide d'un peu de Pensée Négative
créative, vous êtes assuré de transformer toute
situation en véritable Crainte à Trois Dimensions [1].

---

1. Il est également possible que votre médecin ait découvert
une maladie incurable et fatale mais ait décidé de ne rien vous
dire.

Comment faire mûrir votre crainte

Les craintes de bonne qualité, comme les bons vins, donnent le meilleur d'elles-mêmes lorsqu'on les a correctement fait mûrir. Voici la marche à suivre pour faire mûrir correctement la Crainte à Trois Dimensions que vous venez tout juste de fabriquer : attardez-vous sur les choses les plus déplaisantes susceptibles de se produire si votre inquiétude s'avère fondée ; reprochez-vous d'avoir laissé la situation en arriver là ; réfléchissez à tout ce qui aurait permis de l'éviter.

Une fois la crainte menée à maturité, elle est prête pour la transformation en Angoisse de Première Classe.

De la crainte à l'angoisse

Comment faire franchir la dernière étape — la plus gratifiante — à votre peur et la transformer en Angoisse de Première Classe ?

Trois étapes sont nécessaires :

1. Imaginez la seule méthode pour découvrir si vos craintes sont fondées.

2. Imaginez pourquoi il vous est impossible de faire cette démarche.

3. Imaginez pourquoi il vous est tout aussi impossible de ne rien faire.

Voyons comment cela peut s'appliquer à votre inquiétude :

Étape n° 1 : De toute évidence, la seule façon de savoir si vous avez raison de craindre une maladie grave, c'est de subir ce désagréable examen qui nécessite deux ou trois jours d'hospitalisation.

Étape n° 2 : Cela vous est impossible, pour toute une série de raisons. Ne serait-ce qu'à cause de votre peur de découvrir quelque chose que vous ne voulez pas savoir ou de votre réelle incapacité à vous arrêter de travailler deux ou trois jours alors qu'en fait vous n'avez sans doute rien du tout.

Et imaginez votre gêne, plus tard, d'avoir fait tout ce cinéma pour qu'il soit finalement établi que vous vous portez comme un charme [1].

Étape n° 3 : D'un autre côté, si vous êtes vraiment malade et que vous vous croisiez les bras sans rien faire, il sera très vite trop tard pour faire quoi que ce soit. L'inaction totale est donc elle aussi impensable. Que devez-vous faire ? Quel que soit votre

---

1. Au cas où, dans un moment de faiblesse, vous décideriez de voir un médecin, il n'est pas exclu que vos symptômes disparaissent brusquement. Ne vous laissez pas impressionner. Dès que l'occasion sera passée et qu'il ne sera plus possible de le joindre, ils réapparaîtront.

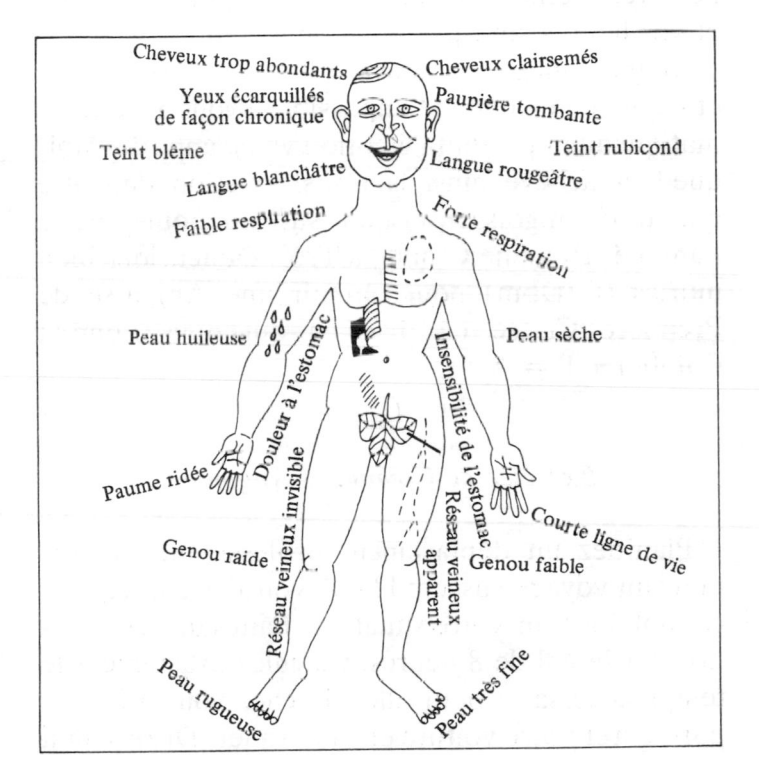

Fig. 2 : Guide pour la formation d'angoisses d'ordre médical

Combien avez-vous de ces symptômes, apparemment bénins, mais qui cachent en fait des maladies terrifiantes ?

choix, vous devez vous décider rapidement : vous ne savez même pas combien de temps il vous reste et vos heures sont peut-être déjà comptées.

Maintenant que vous avez réussi à rendre l'action et l'inaction également impossibles, vous avez automatiquement produit l'émotion vitale appelée Panique [1] et achevé ainsi la transformation de votre crainte en angoisse puisqu'il suffit d'ajouter de la Panique (P) à une Crainte à Trois Dimensions bien mûries (C3Dbm) pour obtenir une Angoisse de Première Classe (A 1re), ce qui nous donne ; C3Dbm + P = A 1re.

Exercice de Création d'Angoisses

Planifiez un déplacement professionnel important, un voyage susceptible d'avoir des conséquences notables sur votre situation. Faites une réservation sur le vol de 8 heures. Calculez exactement le temps nécessaire pour aller de chez vous à l'aéroport, garer votre voiture et embarquer. Disons qu'il vous faut exactement une heure porte à porte. Le soir précédant votre départ, prenez votre voiture et faites sans arrêt le tour du pâté de maisons jusqu'à

---

1. La Panique offre, en prime, l'avantage intéressant de pouvoir provoquer la concrétisation de vos peurs, surtout dans les régions inférieures de l'appareil digestif.

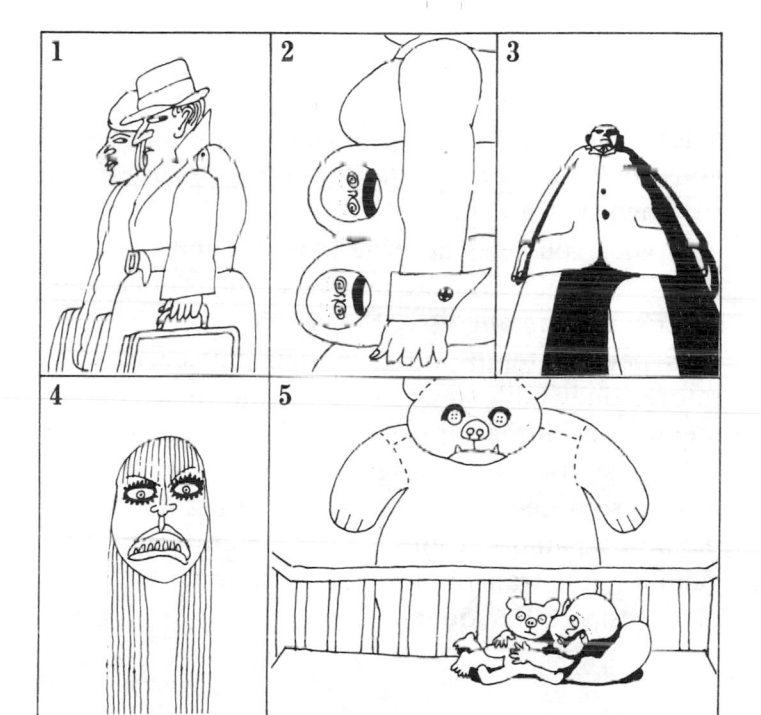

Fig. 3 : Craintes de base pour les tout-petits

1. Papa et maman sortent et ne reviendront jamais. — **2.** On m'a échangé avec un autre bébé à l'hôpital et on m'a donné à la mauvaise maman et au mauvais papa. — **3.** Mon papa va me tuer quand il rentrera. — **4.** Ma baby-sitter va me tuer avant que maman ne rentre. — **5.** La maman de mon ours en peluche va me tuer parce que j'ai pris son bébé.

ce que la jauge d'essence frôle le rouge. Le lendemain matin, partez à 7 heures précises. Si la
circulation est fluide et que rien ne vous retarde, il y
a de bonnes chances pour que vous ayez votre
avion. Mais si vous tombez en panne d'essence ou si
vous vous arrêtez à une station-service, vous raterez
sûrement votre avion.

Si vous vous êtes accordé trop de temps ou trop
d'essence, vous avez été mauvais joueur et ne vous
créerez aucune angoisse. Si vous vous êtes accordé
trop peu de temps ou trop peu d'essence, vous
raterez inévitablement votre avion, mais par là
même vous aurez supprimé le plaisir du jeu.

Mais si vous avez programmé cet exercice avec
tout le soin nécessaire, vous connaîtrez une heure
pleine de panique frénétique et d'autotorture iné-
galable : une tranche de soixante minutes de Complet Désastre Personnel.

Test de Pensée Négative

QUESTION : Parmi les sports ou jeux suivants,
lesquels sont sûrs, lesquels sont dangereux ?
- ☐ *a)* La pêche.
- ☐ *b)* Le parachute.
- ☐ *c)* Les échecs.
- ☐ *d)* Le golf.

- [ ] *e)* Le mikado.
- [ ] *f)* La nage.
- [ ] *g)* Le ping-pong.
- [ ] *h)* La chasse à courre.
- [ ] *i)* Le jeu des chiffres et des lettres.

RÉPONSES :

a) Dangereux : une tortue géante folle pourrait vous attaquer et essayer de vous glisser dans sa coquille. *b)* Dangereux : au moment où vous allez sauter, vous pourriez faire un faux pas, tomber en arrière dans l'avion et vous cogner la tête. *c)* Dangereux : en effectuant un mat en quatre coups, vous pourriez tomber de votre chaise et vous casser une côte. *d)* Dangereux : vous pourriez être englouti dans un sable mouvant en allant chercher une balle dans un bunker. *e)* Dangereux : vous pourriez attraper une crampe dans le dos. *f)* Dangereux : une mouette pourrait laisser tomber une grosse palourde sur votre tête et vous briser le crâne. *g)* Dangereux : alors que vous avez la bouche ouverte, une balle pourrait s'engouffrer dans votre gorge et vous étouffer. *h)* Dangereux : vous pourriez être victime d'une agression sexuelle de la part d'un cerf frustré. *i)* Dangereux : pendant que vous regardez votre écran, l'antenne pourrait vous tomber sur la tête.

2. Sept situations classiques productrices d'angoisse

Vous vous êtes déjà trouvé dans la plupart des situations suivantes. Cependant, n'ayant pas encore lu ce livre, vous n'avez sans doute guère pu en tirer beaucoup plus qu'une douleur superficielle. En les passant en revue maintenant, armé des techniques que nous vous avons enseignées, essayez de voir combien de craintes bien à vous vous pouvez ajouter à la liste de base et combien d'entre elles vous pouvez transformer en Angoisses de Première Classe.

Situation n° 1 : Craintes de base à propos des bruits nocturnes

La nuit, quand la chaleur s'échappe des murs et que les jointures, armatures et pièces de bois se contractent, puis, au petit matin, quand ces mêmes jointures, armatures et pièces de bois se dilatent, vous pouvez entendre un certain nombre de craquements bizarres. Vous devriez pouvoir vous convaincre sans peine que :

1. C'est un effroyable criminel qui va tout vous voler et vous poignarder.

2. C'est un effroyable fou maniaque tout frais échappé de l'asile qui va vous poignarder et vous violer.

3. C'est un effroyable monstre, vampire, zombie ou créature d'une autre planète qui va vous violer et vous tuer.

4. C'est un effroyable inspecteur des Impôts qui va trouver des éléments contradictoires dans votre déclaration de revenus.

Situation n° 2 : Craintes de base à propos des cadeaux

En achetant un cadeau, dites-vous :

1. Ils ont déjà cet objet.

2. Non seulement ils l'ont déjà, mais, en plus, ils ont horreur de ce genre de chose.

3. Le cadeau qu'ils vont me faire sera beaucoup plus fastueux que le mien, qui aura l'air minable en comparaison.

4. Ils ne vont rien me donner du tout.

5. Ils vont me donner quelque chose que j'ai déjà

Fig. 4 : Aide visuelle pour interpréter les bruits nocturnes

Affichez ce dessin à côté de votre lit. Lorsque vous entendez l'un ou l'autre des bruits suivants pendant la nuit, associez-les avec les numéros correspondants du dessin pour pouvoir les interpréter avec le maximum de profit.
1. Vent dans la cheminée. — **2.** Branches frôlant la façade. — **3.** Contractions de poutres au grenier. — **4.** Courants d'air dans les rideaux. — **5.** Papillon de nuit contre l'abat-jour. — **6.** Gargouillis dans le radiateur. — **7.** Craquements de bois dans la cave. — **8.** Moteur du congélateur. — **9.** Robinet qui goutte.

ou quelque chose dont j'ai horreur et, quand j'irai l'échanger, je tomberai sur eux.

Situation nᵒ 3 : Craintes de base à propos de l'attente

Quelques sujets de méditation en attendant les résultats d'un entretien avec un employeur éventuel :

1. J'ai demandé trop d'argent.
2. Je n'en ai pas demandé assez.
3. J'ai eu l'air trop enthousiaste.
4. Je n'ai pas eu l'air assez enthousiaste.
5. Je ne suis pas assez bien pour ce travail.

En attendant quelqu'un qui est en retard :

1. J'attends au mauvais endroit.
2. Un empêchement s'est produit au dernier moment. Il ne peut pas venir et il ne sait comment me joindre.
3. Il ne va sans doute pas venir. Il n'en a d'ailleurs sans doute jamais eu l'intention.
4. Tous les passants savent que j'attends depuis longtemps et se paient ma tête.
5. J'étais moi-même un peu en retard. Il est déjà venu et reparti [1].

---

1. Pour de plus amples développements, voir au chapitre 6 : « Attendre un coup de fil. »

Situation n° 4 : Craintes de base
à propos des vacances

Dans votre pays :

1. Vous avez sans doute oublié de fermer votre porte à clé : un tas de gens sont entrés dans le salon et se livrent à une véritable orgie.

2. Vous avez sans doute oublié de fermer un robinet : l'eau déborde en cascade de la baignoire ou de l'évier, se répand dans tout l'appartement, inondant vos tapis, vos meubles, vos vêtements, et finit par jaillir de vos fenêtres pour se déverser dans la rue.

3. Vous avez sans doute oublié d'éteindre une lampe ou un radiateur : imaginez l'échauffement des circuits électriques ou l'accumulation du gaz et, enfin, l'embrasement ou l'explosion inévitable.

4. Vous avez sans doute oublié de décommander la livraison de votre lait : imaginez la quinzaine de litres de lait se transformant tranquillement en fromage blanc sur votre paillasson.

5. Pensez à votre bureau et imaginez que tout part à vau-l'eau en votre absence.

6. Pensez à votre bureau et imaginez que tout se passe tellement mieux en votre absence.

A l'étranger. Ayez bien présentes à l'esprit les idées suivantes :

1. Quelqu'un guette l'occasion de m'arracher mes appareils photo.

2. Quelqu'un a vidé mes bagages.

3. Mes sept bagages, c'était *avec* ou *sans* le sac d'appareils photo ?

4. Je ne comprends pas ce qu'ils disent, mais, de toute évidence, ils se moquent de moi.

5. Dès qu'ils ont compris que j'étais étranger, ils ont augmenté les prix ; en plus j'ai laissé un pourboire alors que le service était sûrement compris.

6. Le chauffeur de taxi prend un chemin très compliqué. Je suis sûr que l'endroit où je vais n'est qu'à cent mètres d'ici.

7. Je ne me sens pas bien. Je suis sûrement malade, parce que, même si je n'ai pas bu d'eau du robinet, je me suis quand même lavé les dents avec. Du coup je vais me retrouver avec une maladie étrange que le médecin — qui ne parlera pas français — ne saura pas diagnostiquer et je vais mourir tout seul au bout du monde.

**Situation n° 5 : Craintes de base
à propos des soirées**

Si c'est vous qui recevez, pensez que :

Personne ne viendra ; il y aura trop à manger ; trop peu à manger ; ils n'aimeront pas ce que vous

Fig. 5 : Craintes de base pour voyageurs à l'étranger

De votre hôtel (H) au restaurant (R), voici deux itinéraires
possibles pour un chauffeur de taxi. Lequel prendra-t-il pour un
habitant du coin ? Lequel prendra-t-il pour vous ?

avez préparé ; chacun restera dans son coin ; ils vont casser votre service en cristal ; faire des trous de cigarette sur les fauteuils et des taches sur le tapis ; vous voler des objets ou marcher sur votre chien, votre chat ou votre enfant.

Si vous êtes invité :

Vous ne vous souviendrez pas du nom des gens que vous avez déjà rencontrés ; ils ne se souviendront pas du vôtre ; personne ne vous adressera la parole ; vous allez renverser ou casser quelque chose ; vous n'aimerez pas ce que l'on vous offrira ou vous y serez allergique et vous vexerez votre hôte en ne mangeant rien ou vous vous rendrez malade en en mangeant.

Suggestions particulières pour les fins de soirée :

— Si vous êtes invité : balancez entre l'idée (1) que vos hôtes auraient aimé vous voir parti depuis longtemps, et celle (2) qu'ils seraient blessés si vous partiez si tôt. Dites qu'il est temps que vous partiez et voyez s'ils insistent pour vous retenir.

— Si vous recevez : quand un de vos invités dit qu'il doit partir — même s'il n'est pas exclu qu'il dise cela en espérant que vous insisterez pour qu'il reste —, pensez qu'il veut partir parce qu'il s'ennuie et ne le retenez pas.

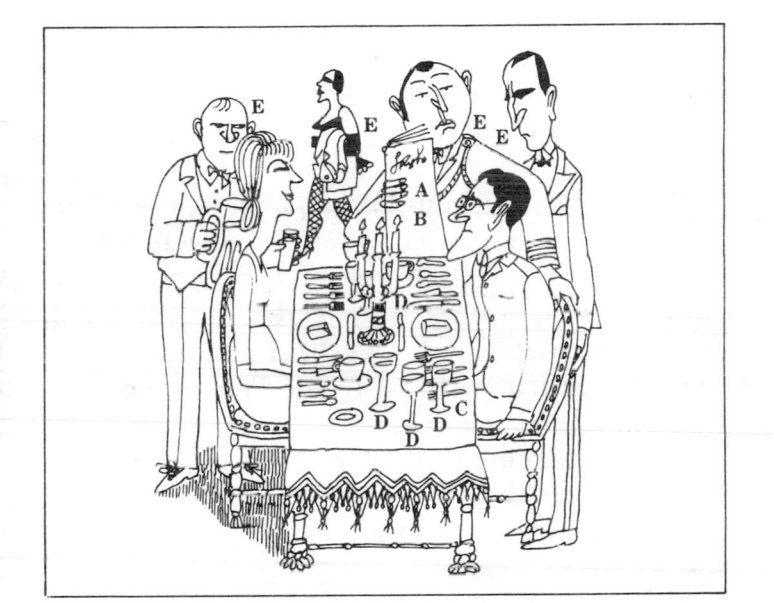

Fig. 6 : Craintes de base au restaurant

A. Vous découvrirez sur la carte que les prix sont prohibitifs mais vous n'oserez pas vous lever pour ressortir. — **B.** Le menu sera incompréhensible et vous savez que vous aurez l'air ridicule si vous demandez des explications. — **C.** Vous ne saurez pas quelle fourchette utiliser. — **D.** Vous heurterez par mégarde un verre et tout son contenu se répandra sur la table. — **E.** Vous renverserez le chandelier et mettrez le feu à la robe de votre invitée. — **F.** En donnant un pourboire à la personne qui vous rend votre vestiaire et non à celle qui vous l'a pris, en donnant un pourboire au serveur et pas au sommelier, ou au serveur et au sommelier mais pas au maître d'hôtel, en leur donnant à tous trop ou trop peu ou encore en donnant un pourboire à qui il ne fallait pas, vous montrerez bien que vous êtes un plouc.

**Situation n° 6 : Craintes de base
pour infractions mineures**

Chaque fois que vous faites quelque chose d'illé-
gal (brûler un feu rouge, jeter des papiers dans la
rue, traverser quand le feu est vert, vous faufiler
sans payer au cinéma, vous garer en double file,
fumer du hasch, ne pas déclarer vos achats à la
douane ou tricher dans votre déclaration de revenus, etc.), dites-vous :

1. Tout le monde le sait. Tout le monde me
regarde.

2. Je vais être pris. Des millions de gens font ça
tout le temps, mais moi je vais être pris.

3. Tous les journaux vont en parler. Je serai fiché
et tous les employeurs, banquiers et policiers du
monde me reconnaîtront au premier coup d'œil
jusqu'à la fin de mes jours.

**Situation n° 7 : Craintes de base
pour les voyages en avion**

Nous recommandons vivement l'avion pour deux
raisons essentielles :

Primo, c'est une excellente occasion pour le

Fig. 7 : Craintes à propos d'infractions mineures

Vous passez la douane avec un achat que vous n'avez pas déclaré.
Imaginez la réaction de chaque personne de la queue lorsque
votre crime sera découvert.

novice que vous êtes de mettre en pratique vos techniques de Création d'Angoisses, n'importe quelle appréhension d'un accident remplissant sur-le-champ toutes les conditions nécessaires à une Crainte à Trois Dimensions, voire à une Angoisse de Première Classe (cf. chap. 1).

Secundo, en aucun lieu vous ne trouverez réunis autant de confrères masochistes. En effet, bien que terrifié à l'idée de prendre l'avion, chacun sait que c'est encore le moyen le plus sûr de voyager et — à part d'éventuels prisonniers sous escorte — se retrouve là par choix délibéré.

L'angoisse de base, à partir du moment où vous faites votre réservation jusqu'à celui où vous embarquez, est la suivante : quel que soit l'avion que vous avez choisi de prendre, c'est *celui-là* qui va s'écraser, et le seul moyen d'éviter un désastre inéluctable est de transférer votre réservation sur un autre avion. Ce que, bien sûr, vous êtes trop timoré pour faire. Mais si vous avez vraiment assez de cran pour changer d'avion, alors l'angoisse devient : ce n'est pas l'avion que vous *deviez prendre* qui va s'écraser mais bien celui que vous *venez de choisir.*

L'angoisse de base, une fois dans l'avion, après la fermeture de la porte principale mais avant le décollage de l'avion, est : il n'est pas trop tard... Vous pouvez encore demander qu'on ouvre la porte

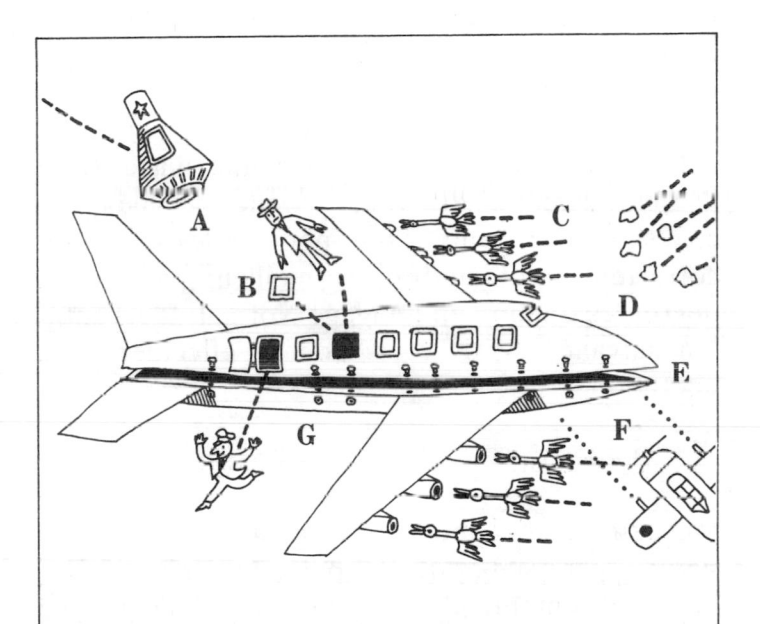

Fig. 8 : Hypothèses à retenir pendant le vol

A. Un satellite retombant dans l'atmosphère pourrait entrer en collision avec l'avion. — **B.** Une fenêtre mal soudée pourrait sauter et vous seriez aspiré par le vide. — **C.** Six oies sauvages pourraient simultanément s'engouffrer dans les réacteurs et les bloquer. — **D.** Une soudaine pluie de météorites pourrait perforer le fuselage. — **E.** Des vibrations excessives pourraient faire céder les joints entre la partie supérieure et inférieure de l'avion. — **F.** L'avion pourrait être abattu par le dernier kamikaze survivant de la Seconde Guerre mondiale. — **G.** Dans un accès de folie, le pilote pourrait sauter de l'avion après avoir bloqué les commandes.

et qu'on vous laisse partir. Mais vous ne le ferez pas car, bien que vous sachiez pertinemment que l'avion n'atteindra jamais sa destination, vous préférez affronter la mort plutôt que le ridicule.

Pendant le vol, quelquefois même, juste avant l'embarquement, on vous inonde de messages codés et inquiétants. Pour pouvoir les décrypter correctement et en tirer le meilleur parti, vous devrez les traduire en Langage Normal. L'échantillon suivant devrait vous aider à effectuer cette opération.

Le texte	*Sa signification*
Mesdames, et messieurs, par suite de l'encombrement des pistes, l'embarquement sera un peu retardé.	Une aile était sur le point de tomber, il faut du temps à l'équipage pour la rescotcher.
Veuillez attacher vos ceintures et respecter la consigne de ne plus fumer. Nous allons traverser une zone de turbulence.	Le scotch a craqué et l'aile est tombée.

Sur votre gauche, vous devriez apercevoir les abords de Marseille.

C'est l'aile *droite* qui est tombée.

Mesdames et messieurs, nous allons atterrir dans huit à dix minutes. Auparavant, avant que nous ne soyons trop occupés, au nom de l'équipage et de moi-même j'aimerais vous dire que nous avons été heureux d'effectuer ce vol en votre compagnie.

Il faut un peu de temps aux membres de l'équipage pour attacher leur parachute et sauter.

Test

QUESTION N° 1 : Dans un avion, la place la plus sûre est-elle :

☐ *a)* En avant des moteurs dans un jet et en arrière dans un avion à hélices ?

☐ *b)* En arrière des moteurs dans un jet et en avant dans un avion à hélices ?

☐ *c)* Le plus près possible de l'aile ?

☐ *d)* Là où les hôtesses s'assoient ?

RÉPONSE : *Il n'existe pas* de place sûre dans un avion.

QUESTION N° 2 : Une fois que vous aurez atteint votre destination, devrez-vous :

☐ *a)* Doubler immédiatement votre assurance-voyage pour le retour ?

☐ *b)* Annuler immédiatement votre billet de retour au profit du train ou du bateau ?

☐ *c)* Vous installer dans la ville où vous avez atterri pour éviter un retour toujours risqué quel que soit le moyen de transport ?

RÉPONSE : Qu'est-ce qui vous permet de croire que vous allez atteindre votre destination ?

3. A la recherche du malheur : le passé, le présent, l'avenir

Conditions optimales pour broyer du noir

Si vous êtes vraiment décidé à vous rendre malheureux, sachez que vous n'aurez pas de pire ennemi que l'activité constructive, pas de meilleure alliée que l'inactivité totale.

L'inactivité est le sol fertile sur lequel fleurissent les graines du désespoir et de l'apitoiement sur soi. Si vous ne faites absolument rien et restez assis sur une chaise bancale à regarder par la fenêtre ou couché sur un lit les yeux au plafond, vous vous trouvez dans la situation idéale pour remâcher tous les mauvais coups du sort, tous les défauts que vous avez pu observer dans votre personnalité ou dans votre apparence physique, et toutes les possibilités de torture qu'offrent votre passé, votre présent et votre avenir.

Mais, demanderez-vous, y a-t-il un moment particulièrement propice pour broyer ainsi du noir ? Mais oui ! Justement !

Le dimanche après-midi

Pour broyer du noir, le meilleur moment de la semaine est celui de la plus grande inactivité : le dimanche après-midi.

Lundi, mardi, mercredi, jeudi, vendredi ne sont pas très bons parce qu'alors vous êtes trop pris par un programme chargé de travail ou d'études : vous n'en avez matériellement pas le temps. De plus, vous attendez le week-end. Il peut se passer tellement de choses pendant le week-end, et plus il se rapproche, moins vous serez d'humeur à broyer du noir. C'est ainsi que la fin du vendredi après-midi est généralement le pire moment de la semaine pour espérer un bon broyage de noir.

Dès le samedi matin, vous sentirez peut-être poindre le soupçon que votre soirée du vendredi n'a, tout compte fait, pas été aussi formidable que prévu. Mais vous ne vous attarderez pas parce que vous avez un tas de courses à faire et que, surtout, vous vous réjouissez encore à l'approche du couronnement du week-end : le samedi soir.

Dimanche après-midi, en revanche, tout est joué.

Tout espoir est mort. Il n'y a plus rien à attendre, si ce n'est la sinistre perspective du lundi matin et d'une nouvelle, interminable et fastidieuse semaine dans un bureau ou une école que vous détestez. Le week-end — comme toute vie d'ailleurs — apparaît alors sous son vrai jour : un échec écrasant, incommensurable. Le dimanche après-midi, vous pouvez ainsi, à loisir, passer en revue toutes ces perspectives radieuses qui, vous le savez, s'ouvraient devant vous, mais qui, à un moment, se sont dérobées.

Oui, le dimanche après-midi est décidément un merveilleux moment pour broyer du noir. Mais, aussi merveilleux soit-il, il en existe un autre encore meilleur.

Ce moment, entre tous, reste la rencontre du passé, du présent et de l'avenir ; cette débauche annuelle d'autotorture qu'est le Jour de l'An.

Les festivités du Jour de l'An

Nous y voilà enfin ! Tout ce qui est lié au Jour de l'An est idéalement associé à la souffrance. Dès la Toussaint, on peut commencer à appréhender la soirée du 31 décembre.

Vous pouvez déjà anticiper par exemple (1) l'impossibilité de faire des réservations dans le moindre bon restaurant ou à un spectacle valable, (2) la perspective d'être sans arrêt bousculé par de joyeux fêtards, voire d'être renversé par des conducteurs ivres, (3) la honte d'avoir à payer 300 francs par personne pour une coupe de mauvais champagne, un dîner digne d'un plateau TV et des souvenirs de pacotille.

Si vous n'êtes pas marié et si vous n'avez aucune attache particulière, vous pouvez vous offrir l'angoisse supplémentaire d'échouer en peu reluisante compagnie, voire de ne pas en trouver du tout.

Quand le grand soir arrivera, vous pourrez soit vous exclure volontairement et passer tout seul une soirée misérable, soit vous affubler d'un chapeau de papier, trop boire avec vos amis et attendre le lendemain pour broyer du noir quand vous aurez tout loisir de regretter votre comportement et d'être malade.

Dans les deux cas, vous trouverez riche et ample matière à broyer du noir : songez par exemple à toutes les résolutions prises au dernier réveillon pour l'année à venir — celle-là même qui s'achève — ou à l'inexorable fuite du temps qui chaque année vous éloigne un peu plus du charmant nourrisson que vous étiez et vous rapproche du cadavre que vous serez.

Ainsi, entre les dimanches après-midi, la période du Nouvel An et tout autre moment que vous pouvez périodiquement vous ménager, vous

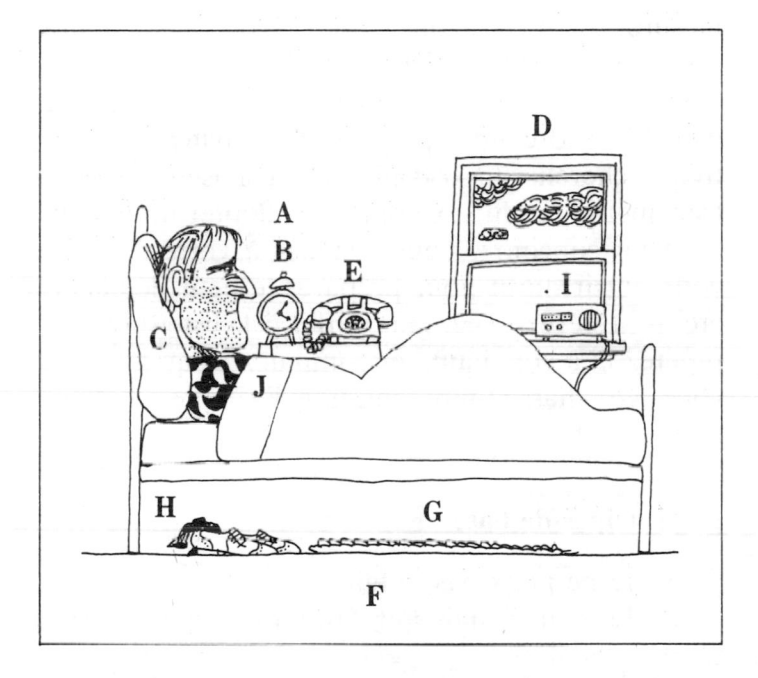

Fig. 9 : Quelques raisons pour ne pas se lever

A. Il est trop tôt. — **B.** Il est déjà trop tard. — **C.** Il faudrait se raser. — **D.** Le temps pourrait changer. — **E.** Le téléphone pourrait sonner. — **F.** Il fait chaud sous les couvertures mais le plancher est sûrement glacé. — **G.** Vous pourriez glisser sur la descente de lit et attraper un lumbago. — **H.** Vous n'avez peut-être plus de chaussettes propres. — **I.** Votre feuilleton favori n'est pas encore terminé. — **J.** En sortant d'abord le mauvais pied des couvertures, vous pourriez vous prendre dans les draps et vous étrangler.

devriez avoir réussi à broyer pas mal de noir, dans la mesure, bien sûr, où vous préservez ce temps précieux de toute activité constructive.

Si jamais vous vous sentiez la moindre velléité d'entreprendre une quelconque activité constructive — chercher un travail plus satisfaisant, rencontrer quelqu'un du sexe opposé, adopter un hobby, faire un concours, vous installer à votre compte, voire sortir du lit pour préparer le petit déjeuner, etc. —, référez-vous, sans tarder, à la liste suivante, répétez-la à voix haute et continuez jusqu'à ce que vous ayez chassé toute tentation d'activité constructive.

17 principes de base

1. Je ne peux pas le faire.
2. Je n'ai jamais pu faire quoi que ce soit correctement.
3. Je suis né sous la pire des étoiles possibles.
4. Je n'ai aucune chance, à quoi bon essayer ?
5. Je ne sais rien faire de mes dix doigts.
6. Je ne réussirai qu'à me faire du mal.
7. Ça ne marchera jamais.
8. Ce n'est pas dans mon horoscope.
9. Ça ne s'est jamais fait.
10. Ce qui compte, ce sont vos relations, pas votre compétence.

11. C'est trop tard maintenant.

12. Il est plus tard que tu ne le crois.

13. On n'emporte rien dans la tombe.

14. Qu'est-ce qui en sortirait de bon ?

15. Tout se paie un jour.

16. On ne peut avoir le beurre et l'argent du beurre.

17. Vanité, vanité, tout n'est que vanité.

Alors à quoi bon ? Quel que soit le projet en question, vous feriez mieux de laisser tomber. Vous ne seriez pas à la hauteur. Vous ne sauriez que faire. Vous ne sauriez que dire. Vous gâcheriez tout et tout le monde se moquerait de vous.

Peut-être pourrez-vous vous y attaquer plus tard. Peut-être pourrez-vous essayer après avoir un peu mieux préparé les choses. Mais pas maintenant. Il vaut mieux attendre. Il vaut mieux remettre. Il vaut mieux battre en retraite.

Maintenant que vous avez éloigné cette tentation douteuse, jetons un coup d'œil sur quelques aspects de votre passé, votre présent et votre avenir qui peuvent vous fournir matière à autotorture.

Le passé mode d'emploi

Le secret pour pouvoir vraiment vous torturer avec le passé consiste à être capable de regretter tout ce que vous avez pu faire et tout ce que vous n'avez pas fait depuis le jour de votre naissance jusqu'à il y a cinq minutes.

Voici quelques suggestions pour vous aider à dresser votre propre liste de regrets :

1. J'aurais dû me marier quand j'en ai eu l'occasion.

2. Je n'aurais jamais dû me marier si jeune.

3. Je n'aurais pas dû les laisser mettre de la crème Chantilly sur mon millefeuille.

4. J'aurais dû tenir bon et obtenir plus d'argent.

5. J'aurais dû accepter son offre.

6. J'aurais dû travailler davantage au lycée et prendre moins de bon temps.

7. J'aurais dû travailler moins au lycée et prendre davantage de bon temps.

8. Je n'aurais pas dû accepter de venir ici ce soir.

9. J'aurais dû emporter un parapluie.

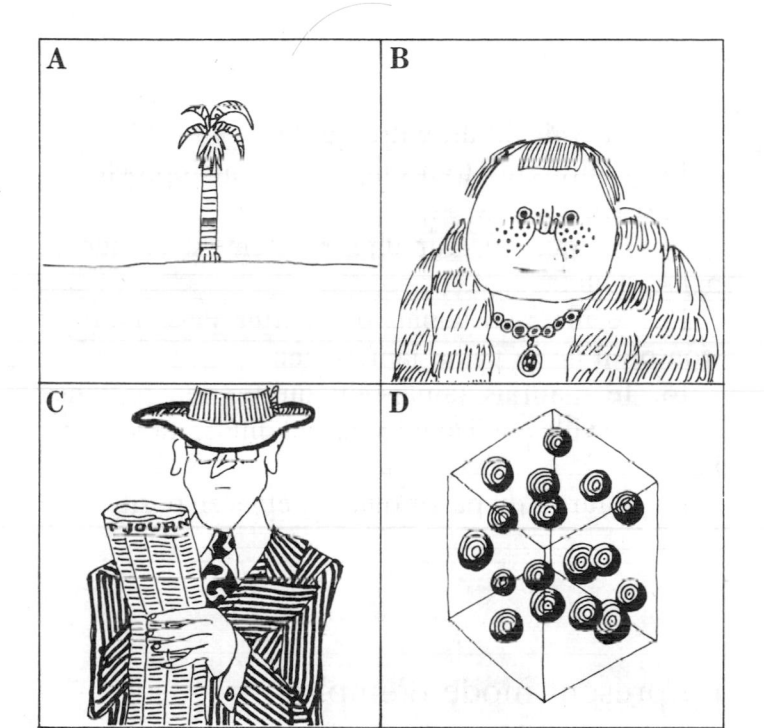

Fig. 10 : Quelques exemples classiques d'occasions ratées

A. Vous auriez pu acheter du terrain à Saint-Tropez avant la Seconde Guerre mondiale. — **B.** Vous auriez pu épouser la brave fille riche qui était dans votre classe. — **C.** Vous auriez pu acquérir des actions IBM en 1938. — **D.** Vous auriez pu inventer le surgelé.

10. Je n'aurais pas dû m'encombrer de ce parapluie.

11. Je n'aurais pas dû me laisser embringuer dans cette histoire.

12. J'aurais dû attendre qu'il soit en solde.

13. J'aurais dû, tout simplement, m'approcher et me présenter.

14. J'aurais dû leur dire exactement ce que je pense d'eux.

15. Je n'aurais jamais dû quitter Paris pour ce trou où il ne se passe jamais rien.

16. Je n'aurais jamais dû quitter ma province pour une ville aussi agitée, sale et inhospitalière que Paris.

17. J'aurais dû partir quand j'étais en position de force.

Le présent mode d'emploi

Si vous n'êtes ni riche, ni célèbre, ni beau, ni plein de talent, vous n'aurez aucun problème pour trouver matière à souffrance dans le présent. Il vous suffit de savoir *qui* envier et *comment*. Mais si vous êtes — cela peut arriver — riche, célèbre et plein de talent, ne perdez pas espoir pour autant. Vous pouvez quand même vous torturer, il vous suffit de savoir à propos de quoi.

Dans cette partie, nous vous proposons un assortiment d'idées noires adaptées aux diverses situations décrites. Précisons tout de suite que cette liste ne prétend nullement être exhaustive ; elle vise tout simplement à vous aider à constituer votre propre matériau pour broyer du noir. Il va de soi que celui que vous mettez vous-même au point sera d'une efficacité beaucoup plus redoutable que tout ce que nous pourrions concevoir.

Suggestions d'idées à ressasser

La richesse : comment vous torturer
si vous n'êtes pas riche

1. Les gens riches peuvent acheter toutes les belles choses dont vous avez toujours rêvé mais que vous ne pourrez jamais vous offrir. Ils peuvent entrer dans un magasin et acheter n'importe quoi — n'importe quel truc idiot, ridicule, sans le moindre intérêt — comme ça, tout simplement parce que ça leur chante, sans même avoir à s'inquiéter du prix.

2. Ils ne sont pas obligés de travailler s'ils n'en ont pas envie. Ils ont ainsi le temps de faire tout ce que *vous* voudriez faire mais que vous ne pouvez

pas faire parce que vous devez gagner votre vie.

3. Ils peuvent dire à n'importe qui d'aller au diable.

Comment vous torturer si vous êtes riche

1. Ruminez la liste de toutes les choses fantastiques que vous auriez pu faire avec tout ce que vous avez donné aux Impôts si vous aviez trouvé un moyen de frauder.

2. La liste de tous les gens que vous devez payer uniquement pour vous aider à vous accrocher à ce qui vous reste.

3. La liste de tous les gens qui vous font payer leurs services plus cher uniquement parce que vous êtes riche.

4. Demandez-vous si, dans le placement relativement sûr que vous avez choisi, votre argent vous rapporte autant que ce qu'il pourrait vous rapporter dans un placement plus risqué.

5. Demandez-vous si votre argent est vraiment à l'abri là où il est actuellement investi.

6. Demandez-vous si vous ne vivez pas bien au-dessus de vos moyens et si vous ne devriez pas prendre l'autobus plutôt que des taxis, déjeuner dans des snacks plutôt que dans de bons restaurants, etc., avant d'être au bord de la ruine.

7. Demandez-vous si les cadeaux que vous offrez à vos amis ou les dons que vous faites aux ventes de

Fig. 11 : Suggestions supplémentaires pour ceux qui ne sont pas riches

Étudiez ces signes extérieurs de richesse jusqu'à ce que vous ayez la migraine ou des maux d'estomac.

charité sont vraiment appréciés ou si tout cela n'est pas considéré comme un dû ; si les bénéficiaires ne pensent pas que vous auriez les moyens d'être un peu plus généreux.

8. Demandez-vous si les gens ne sont pas aimables avec vous uniquement à cause de votre argent.

9. Demandez-vous si ceux de vos amis qui sont moins riches que vous n'envient pas votre argent ; si vous ne devriez pas commencer à chercher un nouveau cercle d'amis — plus riches, eux — où vous susciteriez moins d'envie et si, dans ce nouveau cercle, quelqu'un acceptera jamais d'être votre ami.

10. Demandez-vous si le fait de pouvoir vous offrir tout le luxe dont vous avez toujours rêvé n'est pas, en fait, déprimant ; s'il existe encore quelque chose dans la vie que vous puissiez désirer.

La célébrité : comment vous torturer
si vous n'êtes pas célèbre

1. Être célèbre, c'est aussi avoir la vie facile : ne jamais faire la queue, obtenir des places au dernier moment pour des spectacles à guichets fermés, entrer dans un grand restaurant sans cravate ni veston pour un homme, en pantalon pour une femme. Car les règles valables pour le commun des mortels ne s'appliquent pas aux gens célèbres.

2. Les gens célèbres mènent des vies fascinantes et passionnantes : ils connaissent toutes les autres célébrités et tout le monde se bat pour les inviter.

3. Personne n'oublie jamais le nom d'une célébrité.

Comment vous torturer si vous êtes célèbre

1. Vous n'avez plus de vie privée, vous êtes partout assailli de demandes d'autographes même lorsque vous êtes au restaurant ou en train de faire des courses, et, du coup, vous ne pouvez plus aller là où les gens ordinaires vont tout le temps.

2. Tout le monde vous pose toujours les mêmes questions sur votre vie, votre travail ; vous devez être gentil avec tout le monde — même avec les gens qui ne le sont pas — parce qu'ils représentent votre public, que ce sont eux qui vous ont permis d'être là où vous êtes et que ce sont eux qui vous permettent d'y rester.

3. Vous êtes propriété publique et la presse a droit de regard sur vos problèmes personnels ; même si vous n'en avez pas, elle vous en inventera.

4. Vous êtes critiqué pour ce que vous dites ou faites, ou parce que vous ne dites pas ou ne faites pas ce que tout un chacun dit ou fait sans arrêt dans l'indifférence générale.

5. Vous devez vous mettre en quatre pour prou-

ver à vos vieux amis que vous n'avez pas changé et que vous êtes toujours leur bon vieux copain.

6. A la seconde où vous ne serez plus le meilleur, vous serez un *has been* : pensez à tous ces jeunes loups qui, en ce moment même, piaffent pour prendre votre place.

7. Enfin, demandez-vous si vous méritez le moins du monde d'être célèbre.

La beauté : comment vous torturer si vous n'êtes pas beau

1. Chacun aime les gens beaux et se comporte de façon beaucoup plus aimable avec eux qu'avec les autres.

2. Les gens beaux peuvent suivre les modes les plus extravagantes et avoir une allure folle ou, au contraire, enfiler un vieux jean et un pull — le genre de vieux machins que *vous* n'oseriez jamais porter en public — et avoir l'air tout aussi sublime.

3. Les gens qui ont la chance d'être beaux trouvent du travail, rencontrent l'amour et se marient avec une facilité insultante pour les autres.

Comment vous torturer si vous êtes beau

1. Personne n'imagine tout le mal que vous devez vous donner pour conserver votre beauté et

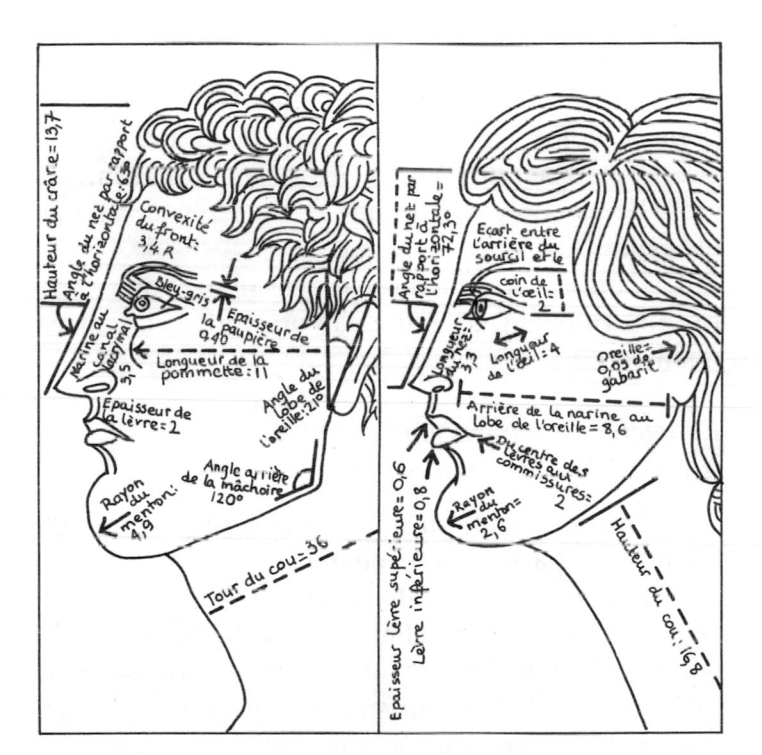

Fig. 12 : Mesures du visage chez l'homme et la femme normaux

Comparez ces mesures avec les vôtres ou avec celles d'un éventuel partenaire. La moindre variation, aussi légère soit-elle, constitue un défaut. Au cas où vous ne découvririez aucun défaut, référez-vous au paragraphe « Comment vous torturer si vous êtes beau ».

qu'une ride, un seul cheveu gris, un petit kilo en trop sont pour vous de véritables drames.

2. Les gens ont tendance à négliger vos autres qualités — intelligence, sensibilité, talent, etc. — pour ne voir en vous qu'un objet décoratif.

3. Votre beauté passera vite et vous vous sentirez alors beaucoup plus laid que si vous n'aviez jamais été beau.

4. Quand votre beauté aura disparu, vous n'aurez plus rien du tout, faute d'avoir cultivé vos autres qualités.

Le talent : comment vous torturer
si vous êtes dépourvu de talent

1. Quand quelqu'un a du talent, tout le monde l'admire et parle de ses œuvres.

2. Pour les gens de talent, ça doit être exaltant de créer quelque chose, tellement plus exaltant que de remplir des bordereaux ou vendre des chaussettes. Comme ce doit être merveilleux de survivre par ses œuvres et d'appartenir à la postérité.

3. Avec quelle facilité les gens qui ont du talent peuvent, s'ils le veulent, devenir riches et célèbres.

Comment vous torturer si vous avez du talent

1. Lorsque vous êtes face à l'œuvre d'un

confrère, rien n'est plus pénible que de se sentir tellement supérieur, sinon le fait d'être dévoré de jalousie.

2. N'importe quel critique — qui peut être parfaitement nul — a le pouvoir de vous démolir.

3. Rien n'est jamais gagné : lorsque vous êtes enfin reconnu dans un cercle, vous êtes forcé de vous imposer dans un cercle plus large où vos œuvres semblent de petites choses et où la compétition est beaucoup plus rude.

4. Si vous n'avez pas encore réussi, votre confiance en vous s'effrite un peu plus chaque année ; sinon le succès vous condamne à toujours vous surpasser pour rester au sommet.

5. Enfin, demandez-vous si votre talent n'est pas en train de se tarir.

L'avenir mode d'emploi

Que vous puissiez empoisonner durablement votre existence passe par votre capacité à maîtriser deux concepts fondamentaux :

1. Refuser d'accepter ce qu'on ne peut changer.

2. Se fixer des objectifs parfaitement irréalistes.

Exemples de ce que vous ne devez jamais accepter :

1. N'acceptez jamais votre âge, votre poids, votre taille, votre visage, votre groupe ethnique ou votre niveau socio-économique.

2. Ne reconnaissez jamais qu'il peut vous arriver de faire des erreurs.

3. N'envisagez jamais l'hypothèse d'un échec et, surtout, n'ayez aucun projet de rechange.

4. N'acceptez jamais le fait que la plupart des gens ne prendront jamais conscience de vos qualités exceptionnelles.

5. Ne croyez jamais que ce que les autres possèdent et qui, vous l'avez toujours pensé, vous rendrait — vous — heureux, ne les rend pas heureux — eux.

Exemples d'objectifs à vous fixer :

1. Trouver le conjoint parfait.

2. Trouver le travail idéal.

3. Écrire *le* grand roman du XXe siècle.

4. Être remboursé vite et bien par votre assurance.

5. Mettre au point un système infaillible pour gagner au tiercé, au casino ou à la Bourse.

6. Convaincre votre inspecteur des Impôts d'accepter une déclaration de revenus inexacte.

7. Vous venger de toutes les injustices que vous avez dû supporter toute votre vie.

8. N'être plus jamais irréaliste.

Exercice : 17 travaux pratiques pour débutants

1. Établissez une liste de tous les gens que vous connaissez qui sont plus jeunes que vous et qui réussissent mieux.

2. Établissez une liste de tout ce que vous avez failli réussir mais que, pour une raison ou une autre, vous avez raté.

3. Faites une liste de toutes les grandes choses que vous n'aurez plus jamais l'occasion de réaliser.

4. Écrivez une lettre à quelqu'un, envoyez-la et imaginez ensuite quel passage offre le plus matière à malentendu.

5. Prenez votre voiture à l'heure des emboutcillages pour faire une course qui n'a rien d'urgent.

6. Prévoyez de faire le pont du 14 juillet sans réserver quoi que ce soit.

7. Prévoyez une excursion au Sahara en plein mois d'août ou un voyage au Brésil pendant la saison des pluies.

8. Allez voir le dernier film de Belmondo le jour de sa sortie.

9. Achetez une action, vérifiez-en la cotation tous les jours dans le journal et, à chaque baisse, calculez combien vous avez perdu, au centime près.

10. Voyez combien de temps il vous faut pour faire saigner vos gencives avec le bout de la langue.

11. Achetez un dictionnaire médical, recopiez les symptômes de dix maladies mortelles et voyez combien de ces symptômes vous avez déjà.

12. Pour une femme, demandez à la vendeuse du rayon de beauté de vous dire ce qu'elle pense de votre peau. Ou prenez une paire de ciseaux et coupez vos merveilleux cheveux longs.

13. Allez à la plage et comparez votre corps avec celui du premier athlète venu.

14. Chez des amis, dans les toilettes, demandez-vous si l'on peut vous entendre.

15. Après avoir quitté une pièce pleine de monde, imaginez les commentaires possibles.

16. Passez une heure par semaine à vous demander si vous ne laissez pas trop peu de pourboire et si tout le monde ne vous trouve pas radin. Ou, au contraire, si vous n'en laissez pas trop et si on ne vous prend pas pour une poire.

17. Faites une liste des gens avec lesquels vous prenez souvent un verre ou un repas et essayez de comptabiliser le nombre de fois où c'est vous qui

A vingt-six ans, petit employé à l'Office des brevets, Albert Einstein mit au point la théorie de la relativité.

La chanteuse suédoise Jenny Lind était si populaire que les hommes payaient 653 dollars la place pour l'entendre.

Le jeune joueur de piano W.A. Mozart avait, à huit ans, composé sa première symphonie et trois séries de sonates.

Abdullah al-Salim, fonctionnaire au Koweit, a un salaire de 7 280 000 dollars par semaine. Toutes les 2 heures et 40 minutes, il gagne l'équivalent de ce que le salarié moyen français gagne en une vie.

Fig. 13 : Pour vous aider à évaluer vos réalisations, comparez-vous avec ces quatre personnes tout à fait ordinaires et prises au hasard.

avez payé. Ou encore, faites la liste de tous ceux qui vous doivent un peu d'argent et qui, de toute évidence, l'ont oublié, et cherchez le moyen de le récupérer sans avoir l'air mesquin.

Épreuve finale

CONSIGNE : Trouvez les mots manquants et comparez vos réponses avec celles figurant ci-dessous.
1. Un franc épargné est un franc ………
2. Les petits ruisseaux font les ………
3. Qui ne risque rien ne ……… rien.
4. Vivre de ……… et d'eau fraîche.
RÉPONSES :

1. dévalué	3. perd
2. petites flaques	4. pain sec

COMMENT
SE RENDRE MALHEUREUX
AVEC L'AIDE D'AUTRUI

4. Comment perdre ses amis et se mettre tout le monde à dos

Dans la première partie, vous avez appris à vous rendre malheureux grâce à la Création d'Angoisses. Vous découvrirez bientôt que ce procédé perdra vite de son efficacité si vous ne rendez pas ces angoisses opérationnelles.

L'un des moyens les plus simples consiste à les utiliser pour vous faire rejeter par les autres. Il est évident que plus nombreux seront les gens dont vous réussirez à vous faire détester, plus vous serez malheureux. Patrons, amants, maîtresses, épouses, maris, amis, vagues relations, etc., tout est bon à prendre ; tous peuvent être conduits à vous rejeter si vous utilisez correctement les techniques suivantes.

Mais avant d'être prêt à vous attaquer précisément à nos techniques du Rejetez-moi, vous devez commencer par vous constituer une image correspondant au profil du Candidat au Rejet.

Le portrait du Candidat au Rejet

Tout en vous — votre façon de parler, de vous tenir, d'entrer dans une pièce — révèle aux autres qui vous êtes et comment vous voulez être traité.

Vous devez donc éliminer tout ce qui pourrait attirer ou inciter autrui à vous accepter. De façon générale, ne manquez jamais une occasion de vous excuser et tâchez d'être aussi ennuyeux, critique, geignard, impatient, irritable, jaloux, nerveux, soupçonneux et terne qu'il est décemment possible.

Restez dans votre coin et faites-vous prier pour participer à la moindre activité collective quand tout un chacun s'y joint spontanément, le plus simplement du monde.

Négligez votre hygiène. Oubliez le nom des gens. Soyez rancunier. Boudez. Ne faites jamais ce qui arrangerait les autres. Prenez-vous très au sérieux. Soyez mauvais joueur. Jamais content de rien. Si quelqu'un s'enthousiasme pour quelque chose, faites le rabat-joie [1]. Si quelqu'un vous parle avec

---

1. Se référer aux « 17 principes de base » (chap. 3).

fierté de son animal favori ou de son enfant, profitez-en pour lui confier votre haine des animaux et des enfants. Attention : *parfois, c'est vous qui devrez donner l'impression de rejeter l'autre pour être sûr d'être rejeté* [1].

Le maintien Rejetez-moi

Placez-vous devant une grande glace. Laissez s'affaisser votre buste. Allongez le cou en avant et jetez des coups d'œil par en dessous. Ployez les épaules. Maintenant, imaginez que vous êtes une tortue et, sans désallonger le cou ni déployer les épaules, essayez de rentrer la tête dans votre coquille. Une fois ces mouvements bien assimilés, vous aurez obtenu la posture Rejetez-moi.

Votre démarche doit en découler tout naturellement : hésitante, louvoyante, avachie.

Autrement dit : *apprenez à entrer dans une pièce comme si vous vous attendiez à chaque instant à recevoir une gifle.*

---

1. Mais soyez prudent : si votre manœuvre est trop transparente, vous vous priverez d'une excellente occasion d'indignation justifiée lorsque vous serez parvenu à vos fins.

L'intonation Rejetez-moi

Votre intonation doit être pleurnicharde. Votre prononciation pâteuse. Votre voix nasillarde. Ces quelques expressions enfantines devraient vous aider à trouver le bon ton :
1. Je veux pas... na !
2. Rends-moi ma balle !
3. Ça, c'est pas à toi, c'est à moi !
4. Manman, il m'a fait mal !

La Dynamique du Rejet

Maintenant que vous avez commencé à acquérir le profil du Candidat au Rejet, vous êtes sûrement impatient de vous lancer et de vous faire rejeter. Saluons cet enthousiasme mais une mise en garde préalable s'impose.

Remporter votre premier grand rejet n'est pas aussi évident qu'il y paraît... Pourquoi ? Eh bien, d'abord, parce que tous les reje*teurs* potentiels sont aussi des reje*tés* en puissance : c'est-à-dire que la personne sur laquelle vous comptez pour vous rejeter peut parfaitement prendre l'initiative et se comporter comme si *vous* l'aviez déjà rejetée.

Par exemple, au téléphone :

VOUS : « Bonjour, je suis vraiment désolé, je vous dérange sûrement ? »

L'AUTRE : « Oh bonjour ! Non, non, pas du tout. D'ailleurs je ne comprenais pas pourquoi vous n'appeliez pas. »

Pour éviter ce type de situation gênante et peu satisfaisante [1] et pour vous assurer ce rejet si important pour vous, il vous faudra posséder une bonne connaissance de la Dynamique du Rejet. Vous devrez savoir sélectionner un Rejeteur Potentiel Prometteur. Vous devrez apprendre l'Art de l'Excuse. Vous devrez être passé maître dans l'utilisation de la stratégie et de la tactique du Rejetez-moi.

Sélectionner un Rejeteur Potentiel Prometteur

N'importe qui représente un Rejeteur Potentiel, y compris les petits enfants et les animaux domestiques. L'ennui, malheureusement, avec eux, c'est leur manque bien connu de discernement : ils sont prêts à rejeter n'importe qui sans aucune raison, et

---

1. Cf. le paragraphe « Le téléphone comme Instrument d'Autotorture » (chap. 6).

un rejet aussi facilement obtenu est sans grande valeur. Néanmoins, dans les cas d'urgence, s'il n'y a pas de Rejeteur plus Prometteur à l'horizon, on peut toujours se rabattre sur eux. Il est alors utile de se souvenir que l'on peut toujours compter sur les bébés pour pleurer quand on les prend dans les bras et sur les chats pour s'enfuir si on manifeste le désir de les caresser.

Les êtres humains adultes constituent, toutefois, les meilleurs Rejeteurs Potentiels, en particulier ceux qui peuvent vous diminuer dans les domaines où vous êtes le plus vulnérable — sex-appeal, compétence professionnelle, aisance, intelligence, tact, sens de l'humour, bref partout où vous vous sentez le moins sûr de vous. Il va de soi que l'on trouve les Rejeteurs Potentiels les plus Prometteurs parmi les experts en ce domaine, c'est-à-dire les maîtres d'hôtel et les jolies filles.

Une aide au rejet : l'Excuse

Une fois que vous avez mis la main sur un Rejeteur Potentiel Prometteur, vous devez l'amener à comprendre que vous êtes quelqu'un qui souhaite être rejeté.

La meilleure méthode consiste à vous diminuer de façon subtile, à dire, par exemple, sur un ton d'excuse, quelque chose de dévalorisant pour vous, et ce, d'une façon qui ne puisse absolument pas passer pour de la fausse modestie. Après tout, qui sera assez idiot pour vous apprécier si vous manifestez clairement que vous ne vous appréciez pas vous-même ?

Il existe un style d'excuse pour chaque niveau : du débutant — « Ne faites pas attention, j'ai une allure épouvantable ce soir » — à l'étudiant masochiste plus avancé — « Vous allez sûrement penser que je suis toujours aussi mal fagoté. »

Il existe aussi une formule d'excuse pour chaque occasion. Vous pouvez, par exemple, dire à vos invités :

1. « Ce Kir sera sûrement trop sucré : il ne restait plus qu'une goutte de vin blanc mais plein de sirop de cassis. »

2. « C'est la première fois que j'essaie ce plat : ça va sûrement être mauvais. »

3. « J'ai peur que le café ne soit trop fort. »

4. « J'ai peur que le café ne soit trop léger. »

5. « J'espère que cela vous est égal mais le rôti est trop cuit [1]. »

6. « Cela ne vous semble peut-être pas trop mauvais, mais je vous assure que ça n'a vraiment pas le goût habituel. »

---

1. Regretter que la viande soit trop rouge n'est pas vraiment rentable : on peut toujours la remettre au four.

En racontant une histoire drôle :

1. « Elle est un peu longue. »

2. « C'est une histoire sans grand intérêt. »

3. « Celui qui me l'a racontée la raconte tellement mieux que moi. »

Ou, en allant dîner avec quelqu'un :

1. « J'aurais voulu vous emmener dans un endroit plus chic, mais je n'ai pas pu avoir de table. »

2. « Vous avez sûrement l'habitude de sortir avec des hommes plus grands. »

3. « Je voulais me laver les cheveux, mais je n'en ai pas eu le temps. »

4. « Je n'ai pas réussi à trouver de collants qui ne soient pas filés. »

5. « Je vous ennuie sûrement avec tous mes problèmes. »

6. « D'habitude, je suis beaucoup plus drôle que ça. »

7. « Je suis désolé, je n'ai pas beaucoup de conversation. »

8. « Je n'ai pas les mains aussi moites d'habitude. »

L'idée de base commune à toutes ces suggestions est : *toujours attirer l'attention sur quelque chose d'embarrassant qui serait passé inaperçu sans cela.*

Avertissement au néophyte : il arrive souvent, alors que vous vous apprêtiez à faire un aveu

Fig. 14 : Exemples de cartes dévalorisantes

humiliant, que quelqu'un vous prenne de vitesse et vous complimente justement pour ce dont vous alliez vous excuser. Que faire dans une situation aussi frustrante ? La solution est simple : *avouez un Défaut Secret Embarrassant qui annule le compliment.*

Défaut Secret Embarrassant nº 1

« Vous avez une silhouette parfaite.
— Merci, mais avez-vous vu mes genoux ? »

Défaut Secret Embarrassant nº 2

« Vous avez des jambes extraordinaires.
— Merci, mais comme vous voyez j'ai les pieds plats. »

Défaut Secret Embarrassant nº 3

« Cet ensemble est vraiment très joli.
— Vous trouvez vraiment ? Je suis étonnée qu'il vous plaise. Je l'ai acheté, il y a huit ans, dans une vente de charité et je ne peux vraiment plus le voir, mais je n'avais plus rien de propre [1]. »

Pour l'étudiant qui désirerait approfondir ses recherches, nous conseillons un séjour au Japon où

---

1. Autre possibilité : « D'ailleurs, il n'est pas même pas à moi. »

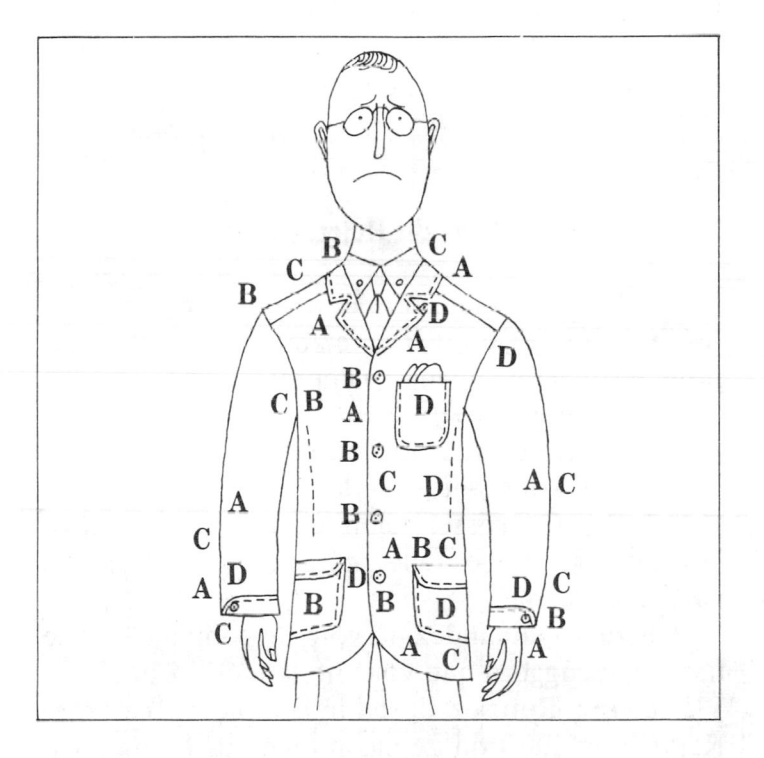

Fig. 15 : Points à détailler après avoir acheté un costume

A. Endroits où le tissu risque de s'effilocher prématurément. — **B.** Endroits particulièrement fragiles. — **C.** Endroits se salissant facilement. — **D.** Finitions qui déplairont sûrement à vos amis ou à vos collègues.

il aura toutes les occasions d'apprendre à formuler des phrases utilisables comme : « Pardonnez, s'il vous plaît, l'apparence modeste de mon indigne intérieur et la qualité malsaine de ma nourriture écœurante et trop cuite. »

Stratégie et tactiques du Rejetez-moi

Quelle que soit leur forme, les différentes variantes de la stratégie du Rejetez-moi ont toutes pour principe de base une mise à l'épreuve, un appel à un vote de confiance. Et, bien sûr, chaque fois que vous sollicitez un vote de confiance, vous courez le risque qu'il vous soit accordé...

Mais si vous agissez selon les principes suivants, l'éventualité d'une telle mésaventure est faible, voire inexistante.

1er coup : Demandez un vote de confiance d'une façon qui suggère que vous ne la méritez pas.

2e coup : Refusez de tenir compte de ce vote. Reposez la question de façon telle que le rejet soit alors la réaction la plus naturelle.

3e coup : Une fois que vous avez réussi à obtenir un rejet, même faible, montrez que vous êtes terriblement blessé — de façon à garantir un autre rejet.

Application

1ᵉʳ coup

VOUS : « Vous avez sans doute des projets pour ce soir. »

LE REJETEUR : « Non, rien de spécial, pourquoi ? »

2ᵉ coup

VOUS : « C'est que nous pensions inviter quelques personnes. Mais je ne suis pas sûr que vous les trouverez intéressantes. Vous aviez bien dit que vous aviez d'autres projets, n'est-ce pas ? »

LE REJETEUR : « Eh bien, c'est-à-dire que nous avions vaguement promis à des amis de... Une autre fois peut-être ? »

3ᵉ coup

VOUS : « Apparemment, vous n'avez pas le temps de nous voir, maintenant que cela marche pour vous... »

Cette manœuvre verbale est un exemple réussi du rejet par l'Invitation, c'est-à-dire que vous avez obtenu le rejet en forçant quelqu'un à refuser votre

invitation. Une légère variante de cette manœuvre
— toujours selon le même principe du Rejetez-moi
— est le rejet dans le domaine de l'Évaluation. Là,
le rejet est obtenu en obligeant l'autre à formuler
une appréciation peu flatteuse de vous-même.

1er coup

VOUS : « Dites-moi franchement, que pensez-
vous de moi ? Dites-moi la vérité. »

LE REJETEUR : « Je pense que vous êtes très
bien. »

2e coup

VOUS : « Non, dites-moi exactement ce que vous
pensez. Il n'y a rien que j'apprécie davantage que la
franchise. »

LE REJETEUR : « Eh bien... pour être tout à fait
honnête... je trouve que vous agissez quelquefois
de façon un peu névrotique. »

3e coup

VOUS : « Ah oui... Parce que vous pensez peut-
être que *vous*, vous êtes parfait ? »

Il va sans dire que la partie n'est pas toujours
aussi facilement gagnée. Dans l'ensemble, les gens
se montrent plutôt réticents. D'abord parce qu'ils

ne sont pas méchants et qu'ils se sentiraient mal à l'aise et attristés s'ils vous rejetaient. De plus, vous rejeter augmenterait leur propre sentiment de culpabilité — déjà assez lourd comme cela —, ce qui les obligerait à suivre des programmes d'autopunition encore plus intensifs. D'où la nouvelle question :

Comment se comporter
face à un Rejeteur Récalcitrant

La meilleure façon d'agir avec quelqu'un d'apparemment décidé à vous accorder un vote de confiance, par exemple en acceptant votre invitation, est de formuler cette invitation d'une manière tellement gênante et dévalorisante pour vous que l'autre ne peut vraiment pas l'accepter sans tomber au même niveau d'humiliation. A titre d'illustration, développons notre premier exemple :

VOUS : « Vous avez sans doute déjà des projets pour ce soir ? »

LE REJETEUR : « Aucun, pourquoi ? »

VOUS : « C'est-à-dire que nous pensions inviter quelques personnes. Mais c'est sans doute un peu tard pour vous prévenir… »

LE REJETEUR : « Pas vraiment. Nous n'avions pas de programme précis… »

VOUS : « Je suis assez embarrassée. En fait, ce serait seulement pour prendre le café parce qu'il y aura déjà les Berthier et les Pichon et il n'y aurait pas assez pour tout le monde. »

LE REJETEUR : « Oh, aucun problème. De toute façon, nous pensions dîner à la maison ce soir. »

VOUS : « Je dois rendre un tas d'invitations ce soir... »

LE REJETEUR : « Ah oui ? »

VOUS : « Oui, mon mari passe sa vie à se plaindre de ce que nous ne voyons que des gens que j'aime *moi*. Alors, ce soir, je pensais que nous pourrions avoir des gens qu'il aime, *lui*. »

LE REJETEUR : « Je vois... »

VOUS : « Écoutez, ne vous sentez pas obligés de venir par politesse si vous avez quelque chose de mieux à faire. »

LE REJETEUR : « C'est-à-dire... Maintenant que vous m'y faites penser, je me souviens que nous avions plus ou moins projeté de rendre visite à mes beaux-parents dans la soirée. Vous savez comment c'est... »

VOUS : « Non, je vous en prie, ne vous excusez pas. Cela n'a pas d'importance. En fait, je ne m'attendais pas vraiment à ce que vous ayez très envie de venir. »

Test : l'impasse

Un homme raccompagne une femme après dîner. L'idée de prendre un dernier verre chez elle leur est venue à l'esprit à tous les deux. Ils sont maintenant devant son immeuble. Chacun est moyennement expérimenté dans la technique du Rejetez-moi. Les premiers coups ont donné ceci :

ELLE : « Je suppose que vous ne monteriez pas prendre un dernier verre ? »

LUI : « Eh bien... Je ne sais pas. C'est vraiment très gentil à vous de le proposer et j'aimerais bien, oui, mais il est sûrement trop tard, non ? »

ELLE : « Peut-être... Il est... voyons... 1 heure. C'est sans doute trop tard pour vous, non ? »

LUI : « Eh bien, il n'est pas trop tard pour *moi*, mais je parie que c'est l'heure à laquelle vous vous couchez, non ? »

ELLE : « Oh, je me couche très rarement avant 2 heures, mais vous, vous devez être épuisé, non ? »

LUI : « Non, moi, ça va, je ne suis pas fatigué. Mais quel est l'intérêt de vous forcer si *vous* vous l'êtes ? »

ELLE : « Oh, moi, je peux encore tenir un peu,

mais vous, vous avez vraiment l'air de quelqu'un qui ne rêve que de rentrer se coucher. »

LUI :   « Non, moi ça va, mais vous ? »

ELLE : « Non, moi ça va, mais vous ? »

LUI :   « Non, moi ça va, mais vous ? »

PROBLÈME : Comment sortir de l'impasse sans risquer de compromettre le rejet ?

SOLUTION : Chacun peut répondre d'un ton un peu froissé : « Bon, d'accord, je vois bien que vous n'en avez pas vraiment envie... N'en parlons plus pour ce soir... Une autre fois peut-être, si vous êtes dans de meilleures dispositions... »

5. *Comment perdre son travail*

Maintenant que vous avez acquis les rudiments de l'art de vous faire rejeter, vous êtes prêt à passer de la théorie à la pratique.

Dans ce chapitre et dans les suivants, nous vous montrerons comment utiliser la Dynamique du Rejet pour perdre votre travail, vos amis, votre partenaire. Bref, nous vous donnerons les moyens de faire le vide autour de vous et d'être ainsi totalement libre de vous vautrer dans l'apitoiement sur vous-même tout en gravissant les derniers échelons qui vous séparent du Complet Désastre Personnel.

A notre avis, le domaine par lequel il est le plus facile de commencer est celui du travail.

Mais attention, perdre son travail n'est pas aussi facile que vous pouvez vous l'imaginer. On peut en effet supposer que vous n'avez pas été engagé pour vos beaux yeux mais pour une compétence bien précise. Donc, ne serait-ce qu'en prévision du temps qu'il devrait perdre à vous remplacer, votre employeur ne sera peut-être pas très enthousiaste à la perspective de se séparer de vous. *Comment lui inspirer cet enthousiasme ?*

Si vous arrivez à considérer votre renvoi comme un exploit — celui d'amener votre employeur à vous rejeter —, alors vous pouvez mettre en pratique les Techniques de Production de Rejet que vous venez d'acquérir. Et vous avez, pour ainsi dire, parcouru la moitié du chemin en direction de l'ANPE.

Dans cette partie, nous compléterons ce que vous connaissez déjà par les Angoisses de Bureau qui devraient vous conduire tout droit au comportement de l'Employé Candidat au Rejet.

Le credo du Sous-Payé

Une attitude que l'on convertit facilement en Angoisse de Bureau puis en comportement du type Rejetez-moi ou Renvoyez-moi consiste à prendre pour acquis que vous êtes sous-payé.

Si vous ressassez suffisamment l'idée que vous êtes sous-payé, par exemple en dressant une liste de griefs, en l'apprenant par cœur et en vous la récitant sans arrêt, vous réussirez à vous mettre dans un état de rage et de frustration intenable.

A un certain degré d'hystérie, vous pourrez même être tenté de démissionner. *Ne le faites pas.* Si vous démissionnez, vous vous priverez du plaisir et de l'indignation justifiée provoqués par un licenciement [1].

Maintenant que vous « savez » que vous êtes sous-payé, que pouvez-vous faire ?

Vous avez le choix entre exiger une augmentation totalement déraisonnable [2] ou essayer de récupérer votre dû d'une façon ou d'une autre.

Comment rétablir l'équilibre

Le meilleur moyen est encore de travailler moins : arrivez tard, déjeunez sans vous presser, partez tôt et, dans l'intervalle, multipliez les pauses café, etc. Au bout d'un certain temps, vous commencerez peut-être à vous sentir mal à l'aise à l'idée que l'on pourrait s'en apercevoir.

Ne vous laissez pas arrêter pour si peu. Autour de vous, des tas de gens en font autant et ils s'en tirent très bien. Ils ne se font jamais prendre, eux, et ils ne sont pas non plus sous-payés, vous pouvez en être sûr.

1. N'envisagez de démissionner qu'en dernier recours, quand toutes vos tentatives pour vous faire renvoyer auront échoué.
2. Vous trouverez des exemples de ce type de manœuvre dans le paragraphe « Le Grand Défi du Mariage » (chap. 7).

Continuez à arriver à 9 heures et demie au lieu de 9 heures, à revenir de déjeuner à 2 heures et demie au lieu de 2 heures et à partir à 5 heures et demie au lieu de 6 heures. Pourtant, il peut arriver que, même après un bon moment de ce régime, vos nouveaux horaires n'aient encore suscité aucun commentaire. Qu'est-ce que cela peut vouloir dire ? Que vous étiez encore plus exploité que vous ne le pensiez ? Que votre employeur a trop mauvaise conscience pour oser vous faire des remarques ? Alors vous n'êtes pas au bout de vos peines. *Vous allez devoir explorer vous-même les limites permises, toujours plus loin jusqu'à la sanction, car c'est le seul moyen de savoir quand vous aurez rétabli l'équilibre.*

Commencez à arriver à 10 heures. Rentrez de déjeuner à 3 heures, voire 3 heures et demie. Partez à 5 heures. (Bientôt, vous n'aurez peut-être même plus besoin d'enlever votre manteau entre le moment où vous arrivez et celui où vous partez déjeuner ou entre le moment où vous rentrez de déjeuner et celui où vous rentrez chez vous.) Vous avez maintenant créé une situation bizarre. Vous continuez à penser que vous êtes sous-payé — et encore plus, semble-t-il, qu'aucun de vos collègues puisque personne n'a encore eu le courage de vous passer un vrai savon. Toutefois, étant donné la quantité de travail que vous fournissez, vous êtes amplement *surpayé.* Vous savez que vous avez été trop loin. Et pourtant, vous ne pouvez pas vous arrêter. Comment, de vous-même, pourriez-vous renoncer à rester un peu plus longtemps au lit le matin ou à faire vos courses en plein après-midi ? Surtout quand les autres en font autant. Absolument impossible.

C'est le moment — vous commencez à vous affoler — d'essayer de camoufler vos allées et venues. Entrez et sortez furtivement lorsque personne ne peut vous voir. Inventez des excuses compliquées pour vos absences : rendez-vous chez l'ophtalmologue, l'ostéopathe, le parodontologiste, le podologue, l'endocrinologue, etc.

Imaginez d'habiles subterfuges pour donner le change : sortez sans manteau et laissez-le en évidence pour faire croire que vous êtes là. Arrangez-vous pour qu'un collègue ami allume votre lampe à 9 heures pile, mette un peu de désordre sur votre bureau et fasse l'inverse à 6 heures, etc.

Vivez dans la crainte — et l'attente — de l'inévitable convocation au service du personnel qui mettra un point final à cette absurde et cauchemardesque comédie.

Un jour, enfin, cela arrivera. L'ultime rejet, l'ultime soulagement. Vous serez licencié. Vous devrez partir sur-le-champ avec une semaine d'indemnité. Et, en vidant votre bureau, vous éprouverez l'amère satisfaction du martyre, le plaisir indicible de savoir que vous avez été horriblement, injustement puni et rejeté.

Test

QUESTION : L'ANPE vous a fixé un rendez-vous avec un éventuel employeur et vous a dit d'apporter votre curriculum vitae. Que pouvez-vous dire en le montrant ?

RÉPONSE : « Il date de la fin de mes études, mais je n'ai rien trouvé d'autre » ou « Je sais qu'il est mal fait, mais à quoi bon de toute façon ? »

6. Comment éviter de véritables relations amoureuses

Ce chapitre et le suivant traitent de l'amour, c'est-à-dire de son évitement aujourd'hui, demain, quel que soit le degré d'engagement et en toute circonstance.

Dans ce chapitre, vous commencerez par apprendre à faire fuir tous les partenaires potentiels que vous pourriez rencontrer.

Ensuite, si cela n'a pas suffi, si, malgré tout, on vous a demandé votre numéro de téléphone ou si vous avez obtenu celui de quelqu'un, nous vous montrerons comment saboter vos rendez-vous amoureux.

Enfin, si vous vous êtes révélé incapable d'éviter une véritable relation et / ou le mariage, nous vous donnerons au chapitre 7 suffisamment de conseils stratégiques pour parvenir à vous débarrasser de la femme, de l'amant ou du mari le plus fougueux.

Le cauchemar des soirées

Les fêtes, qui ont pour vocation première de favoriser les rencontres de partenaires éventuels, constituent des occasions privilégiées pour se torturer et se rendre malheureux.

Le simple fait de pénétrer dans une pièce pleine d'inconnus en train de parler, de boire et de rire ensemble — et qui n'ont même pas remarqué votre arrivée — vous met dans une position de faiblesse qui atteint une sorte de perfection esthétique.

Car là vous êtes irrémédiablement perdu. Pour gagner du temps, vous vous livrez aux opérations rituelles : suspendre votre manteau, vous servir un verre, allumer une cigarette, tout en cherchant — en vain — un visage familier. Vous devez vous rendre à l'évidence : il va falloir aborder quelqu'un que vous ne connaissez ni d'Ève ni d'Adam et vous présenter. Il n'est alors plus possible d'éluder *la* question : *pourquoi, diable, quelqu'un aurait-il envie de me parler ?*

Cette question est parfaitement justifiée. Effectivement, pourquoi quelqu'un voudrait-il vous parler ? A moins que vous ne pensiez être plus brillant et plus beau que son interlocuteur du moment. Et si vous pensez cela, ce livre ne peut vraiment rien pour vous.

Bien. Une fois la question posée, l'alternative est simple :

1. Soit vous réfugier dans un coin, seul, en attendant que quelqu'un vienne vous parler.

2. Soit aller voir votre hôte dont vous connaissez sans doute au moins le nom, et essayer de l'amener, lui, à vous faire la conversation.

Disons que vous choisissez la deuxième solution. Votre hôte est en train de jongler avec les boissons et les amuse-gueule, d'évoquer des souvenirs avec des gens qu'il n'a pas vus depuis longtemps et, de façon générale, de parler avec des invités plus intéressants que vous. Il vous dira un bonjour rapide, vous entraînera vers un petit groupe absorbé par une discussion animée, vous présentera brièvement et disparaîtra. Ces gens vous souriront d'un air absent ; dans le meilleur des cas, ils vous poseront une question de pure forme et reprendront leur conversation sans écouter votre réponse.

Maintenant vous êtes libre de vous réfugier dans un coin et d'y attendre que quelqu'un vienne vous parler.

Si personne ne le fait, vous pouvez vous appuyer au mur et agiter les glaçons dans votre verre jusqu'à ce qu'ils aient fondu. Vous pouvez feindre un intérêt passionné pour les tableaux de votre hôte, ses livres, ses disques, ou aller dans la salle de bains et examiner le contenu de l'armoire à pharmacie, ou, mieux encore, étudier la dissymétrie de votre visage dans la glace.

Imaginons toutefois que quelqu'un soit assez inconscient pour passer outre à votre stratégie d'Évitement et vous adresse la parole. Que faire ? Utiliser la manœuvre suivante — très efficace —, celle que nous appelons le « Pas de conversation ».

La manœuvre du « Pas de conversation »

Inspirée de la stratégie du Rejetez-moi étudiée au chapitre 4, elle se déroule en trois temps.

1er coup

VOUS : « Je déteste les cocktails. Je ne sais jamais quoi dire. Je suis tout simplement incapable de faire la conversation. »

L'AUTRE : « Vraiment ? Je trouve que vous vous débrouillez très bien. »

2e coup

VOUS : « Non, je pense vraiment que ma conver-

sation n'offre aucun intérêt. Je suis sûr que vous
préféreriez parler avec quelqu'un d'autre. »

L'AUTRE : « Mais pas du tout. Je trouve très
agréable de parler avec vous. »

VOUS : « Vous êtes très gentil mais je suis sûr que
je vous assomme. »

L'AUTRE : « Pas du tout, pas du tout [silence].
Mais je commence à avoir un peu soif. Si vous vous
asseyiez là pendant que je vais me servir un
verre ? »

3e coup

VOUS : « Allez-y et rassurez-vous : si vous êtes
tellement pressé de me fuir, je ne ferai certainement rien pour vous retenir. »

Supposons pourtant que, malgré la mise en
œuvre de ces techniques, vous ayez rencontré
quelqu'un, quelqu'un de vraiment sympathique —
sûrement trop bien pour s'intéresser à vous. Supposons qu'en plus vous vous soyez trouvé des tas de
choses en commun, que vous ayez pris beaucoup de
plaisir à vous parler et que vous n'ayez pas réussi à
être suffisamment rébarbatif pour éliminer tout
risque de nouvelle rencontre. Un numéro de téléphone a été demandé et obtenu, l'appel semble
imminent. Comment se tirer de ce mauvais pas ?

Le téléphone comme Instrument d'Autotorture

Que vous vous apprêtiez à appeler pour prendre rendez-vous ou que vous attendiez un coup de fil, arrêtez-vous un instant et représentez-vous bien cette fabuleuse source d'angoisse qu'est le téléphone.

Si vous attendez un coup de fil important, il est hors de question que vous quittiez la maison ou appeliez quelqu'un : vous rateriez votre appel. Si vous avez un répondeur, vous risquez également de le rater. Les répondeurs sont très capricieux : ils font leur choix parmi les appels et, lorsqu'ils décident d'enregistrer, ils en tronquent certains et en brouillent d'autres.

Le téléphone vous met à nu : vous ne pouvez plus jouer de votre sourire, de vos clins d'œil ou autres expressions de votre visage pour préciser votre message. Et Dieu vous aide si vous n'avez pas une belle voix.

De plus, au téléphone, vous ne savez jamais très bien ce qui se passe à l'autre bout du fil. Impossible de voir les expressions de votre interlocuteur : du coup, vous ne savez jamais à quoi vous en tenir. Il s'ennuie peut-être mortellement, ou bien vous l'avez tiré de son bain et il ruisselle sur le parquet. Ou alors, il est en train de regarder la TV. Ou il a posé le combiné. Ou encore il y a quelqu'un à ses côtés qui a pris l'écouteur : ils font des commentaires à voix basse et échangent des signes en essayant de ne pas pouffer de rire. Ou bien même, pendant une conversation où vous dites du mal d'un tiers : ce dernier essaie de téléphoner et les lignes s'étant interconnectées, il entend tout ce que vous dites. Enfin, votre ligne est peut-être sur table d'écoute, on enregistre et on retranscrit toutes vos paroles : vous pourrez entendre la bande le jour de votre procès...

Une fois ces hypothèses bien présentes à votre esprit, venons-en plus concrètement à l'horreur d'avoir à donner ou à recevoir un coup de fil.

Attendre un coup de fil

Disons que vous êtes une jeune femme dans cette situation. Comment réussirez-vous à vous mettre dans un état second en attendant le coup de téléphone de ce monsieur et — qui plus est — comment réussir à le décourager de vous proposer quoi que ce soit, une fois qu'il aura effectivement appelé [1] ?

Disons que, si ce monsieur doit vous appeler, ce sera le jour suivant votre rencontre et après votre bureau. *Mais* — et ceci sera votre première angoisse — *sait-il à quelle heure vous finissez de travailler ?*

Non. Et imaginons qu'il vous appelle peu après 5 heures, puis à 5 heures et demie et qu'il ne vous trouve pas puisque vous travaillez jusqu'à 5 heures et demie et que vous n'êtes pas chez vous avant 6 heures. *Rappellera-t-il à 6 heures ?*

Peut-être pas. Après tout, un homme aussi séduisant a sûrement bien d'autres choses à faire qu'à appeler des filles qui ne sont jamais chez elles. Vous devriez peut-être quitter votre travail à 5 heures. Ce serait plus sûr. Mais que se passera-t-il si vous restez coincée dans les embouteillages ? Vous devriez partir en douce à 4 heures et demie. Mieux encore, pourquoi ne pas dire que vous êtes malade et prendre votre après-midi ? Ainsi vous serez certaine d'être chez vous quand il appellera.

Cela nous conduit à la prochaine étape : *vous devez prendre votre après-midi et attendre son coup de fil.* Vous installer à côté du téléphone et ne pas le quitter une seconde, même pour aller vous laver les

---

1. A ce stade, peut-être serait-il bon que vous vous reportiez au paragraphe sur la Pensée Négative (chap. 1) pour réviser les mécanismes de Création d'Angoisses.

mains. Inutile de dire qu'à la fin de l'après-midi il n'aura pas appelé. Quelle idiote vous étiez de penser qu'il finirait par appeler ! Comme si vous étiez la seule fille à laquelle il ait demandé son numéro de téléphone... Combien de numéros n'a-t-il pas pris *rien qu'à cette soirée* ?

Et pourtant, il vous a demandé votre numéro et vous a dit : « Je vous appellerai. » Personne ne l'y obligeait. Le fait qu'il vous l'ait demandé doit signifier qu'au moins il envisageait de vous appeler — en tout cas lorsqu'il vous l'a demandé.

Peut-être avez-vous dit quelque chose entre le moment où il vous a demandé votre numéro et celui où il vous a dit bonsoir — quelque chose qui lui a déplu.

Essayez de vous souvenir de ce que vous avez dit. C'était peut-être seulement : « Ravie de vous avoir rencontré. » Normalement, il ne peut rien y avoir de mal à dire à quelqu'un qu'on est ravi de l'avoir rencontré. Pourtant, on ne sait jamais : lui donner votre numéro et *ajouter* que vous êtes ravie de l'avoir rencontré, c'était peut-être un peu trop.

Et s'il vous avait demandé votre numéro uniquement pour pouvoir vous quitter sans paraître grossier ? Pas mal comme petite angoisse. Mais il y a mieux : *il a peut-être essayé de vous appeler toute la soirée mais votre téléphone est en dérangement.* Il faut en avoir le cœur net. Soulevez l'écouteur.

D'accord, il y a la tonalité. Mais cela ne prouve pas que votre téléphone marche. Vous devez faire un essai plus concluant. Appelez une amie. Dites-lui simplement : « Ne me pose pas de question, rappelle-moi tout de suite » et raccrochez. Ne soyez pas atterrée en entendant la sonnerie. Au moins, maintenant vous êtes certaine que le téléphone marche.

C'est le bon moment pour passer à l'angoisse suivante : *peut-être a-t-il essayé de vous appeler pendant que vous étiez en train de vérifier le bon fonctionnement de l'appareil : la ligne était donc occupée.*

Assez pour ce soir. Allez vous coucher. Le jour suivant, décidez qu'il ne vous appellera pas et ne quittez pas votre bureau avant l'heure normale. Et peut-être, à peine sur votre palier, entendrez-vous la sonnerie du téléphone. Vous chercherez frénétiquement vos clés en répandant le contenu de votre sac par terre. Mais vous réussirez à ouvrir la porte pendant que le téléphone sonne encore. Vous aurez juste le temps de foncer à travers la pièce en glissant sur le tapis et en faisant tomber votre vase chinois et de décrocher au moment où la sonnerie s'arrête.

C'est le moment de décider que cela vous est parfaitement égal qu'il vous appelle ou non. Vous n'allez pas passer le reste de votre vie suspendue au téléphone uniquement parce qu'un abruti, une fois, à une soirée, vous a dit qu'il vous appellerait peut-être. Vaquez à vos occupations habituelles de la soirée. S'il appelle, parfait. S'il n'appelle pas, parfait aussi.

Préparez votre repas. Dînez devant la télévision. Faites la vaisselle. Essuyez-la. Lavez-vous les cheveux. Séchez-les. Faites tout ce que vous feriez normalement si vous étiez tranquillement chez vous sans attendre un coup de fil. Mais, bien sûr, n'oubliez pas de fermer le robinet de l'évier, de la baignoire ou d'arrêter le séchoir toutes les deux minutes parce que vous croyez avoir entendu une sonnerie.

Peut-être ne vous a-t-il pas appelée simplement parce qu'il n'était pas chez lui ? Peut-être devriez-vous chercher son numéro dans l'annuaire et lui passer un petit coup de fil ? S'il ne répond pas, vous saurez que c'est pour cela qu'il ne vous a pas appelée. Et s'il est chez lui, vous pouvez toujours raccrocher.

Non, ce n'est pas très bon. Il y a mieux :

Peut-être lui avez-vous donné un mauvais numéro ? Après tout, vous le faites souvent votre numéro ? Vous pouvez ne pas l'avoir eu bien en tête et avoir inversé les deux derniers chiffres, par exemple. Et s'il vous a appelée et qu'il s'en soit rendu compte... Il a sûrement pensé que vous l'aviez fait exprès. Quelle horreur ! Il doit être très vexé. Que pouvez-vous faire ? L'appeler. Voilà ce que vous pouvez faire. Cherchez son numéro dans l'annuaire. Il y est, mais un nouveau problème surgit : ils sont trois sous le même nom. Vous aurez vraiment l'air d'une idiote en essayant de trouver le bon : « Excusez-moi, mais vous êtes bien la personne à laquelle j'ai donné un mauvais numéro l'autre soir ? »

De toute évidence, ce n'est pas la solution.

Ce que vous devez faire, c'est appeler chacun successivement et engager la conversation en glissant une allusion à la soirée en question. Si ce n'est pas le bon, vous pouvez toujours raccrocher ; ce ne sera vraiment pas gênant car il ne saura pas qui vous êtes. A moins, bien sûr, que tous les trois ne soient cousins et que le premier n'appelle les autres pour leur raconter...

Non, cette angoisse est absurde. Allez-y, appelez comme vous alliez le faire.

Mais pendant que vous rassemblez vos forces pour appeler, le téléphone sonne. C'est lui ! Sur le point de décrocher, arrêtez-vous. Pourquoi réagir dès la première sonnerie ? Pour qu'il comprenne à quel point vous l'attendiez ? Laissez sonner deux fois — mieux encore, trois. Maintenant, décrochez. Plus rien.

Bravo ! L'avoir raté alors qu'il est enfin rentré chez lui et qu'il vous appelait... Maintenant, c'est sûr, il faut absolument que vous l'appeliez. Et vite. Avant qu'il ne ressorte.

Essayez le premier numéro. Vous avez dc la chance, c'est le bon ! Présentez-vous et dites : « Vous ne venez pas d'essayer de m'appeler ? » Alors, après un silence embarrassé, vous l'entendrez répondre : « Euh... Non... Je ne pense pas... »

Téléphoner pour prendre rendez-vous

Maintenant, disons que vous êtes un jeune homme. Une jeune femme charmante vous a donné son numéro, vous avez dit que vous l'appelleriez. C'est le moment idéal pour vous créer quelques angoisses supplémentaires.

D'abord, comment savez-vous si elle a envie de sortir avec vous ? D'accord, elle vous a donné son numéro de téléphone, mais pouvait-elle faire autrement, une fois que vous le lui aviez demandé ? Elle n'aspire probablement qu'à une chose : que vous ne vous en serviez pas. Non, c'est idiot. Elle n'espère pas que vous ne l'appellerez pas : elle ne se souvient tout simplement pas de vous avoir donné son numéro. Elle ne saura même pas qui vous êtes quand vous l'appellerez. De plus, vous tomberez sûrement mal. Par exemple, à un moment où... *son petit ami est là.*

C'est ça, elle a déjà un petit ami. Comment une fille aussi séduisante n'aurait-elle pas déjà un petit ami ? Dans ce cas, à quoi bon ?

A quoi bon l'appeler, uniquement pour s'entendre dire qu'elle a déjà un petit ami ?

Non, c'est ridicule. Si *vraiment* elle en avait déjà un, elle aurait eu une excuse toute trouvée pour ne pas vous donner son numéro de téléphone. Elle aurait pu se contenter de dire : « Désolée, mais j'ai déjà un petit ami. »

Il va donc falloir que vous l'appeliez après tout. Qu'allez-vous lui dire ? Vous serez probablement tout de suite à court d'idées. Vous direz : « Comment allez-vous ? » Elle vous répondra : « Très bien, et vous ? » Et vous : « Bien, bien, merci. » Puis plus rien. *Le blanc.* Impossible de trouver autre chose à dire. Après un silence atroce, vous bredouillerez laborieusement une invitation qu'elle refusera d'une façon humiliante. Et ensuite, elle racontera à tous ses amis à quel point vous êtes bête, gauche et emprunté.

Peut-être pourriez-vous éviter cela en notant quelques phrases d'Entrée en Matière que vous lui lirez d'un ton parfaitement naturel.

La brigade des mœurs.

Un maître chanteur.

Votre mère.

Toutes les standardistes des PTT.

Fig. 16 : Personnes susceptibles d'écouter clandestinement vos conversations

Quelques Entrées en Matière efficaces

Au téléphone, il existe deux types d'Entrées en Matière pour susciter une réaction de rejet.

Entrées en Matière du premier degré :

1. « Vous ne vous souvenez sans doute pas de moi mais... »

2. « Vous ne devinerez jamais qui est là... »

Toutes deux sont d'excellentes bases de rejet. Elles suggèrent que vous êtes tellement quelconque que la personne que vous appelez ne pourra deviner qui vous êtes.

Une bonne Entrée en Matière du second degré est celle qui offre à votre interlocuteur une échappatoire idéale :

1. « Je vous dérange sûrement, non ? »

2. « On dirait que vous étiez sur le point de sortir... »

3. « Je parie que vous êtes en plein dîner. »

4. « Je vous ai réveillée, non ? »

5. « Avez-vous le temps de parler maintenant ? Ou voulez-vous que je vous rappelle dans un moment, quand vous serez plus disponible ? Ou préférez-vous que je ne vous dérange plus du tout ? »

L'invitation

Il existe deux formules efficaces pour provoquer le rejet :

1. L'invitation faite si tard que, même si l'autre en avait envie, il ne pourrait que la refuser.

Exemple : « Viendriez-vous à un réveillon ce soir ? »

2. L'invitation faite si longtemps à l'avance que l'autre ne peut la refuser sans être grossier. Du genre : « Vous seriez libre pour aller au cinéma dans un mois ? »

Nous préférons la dernière, car elle offre l'avantage supplémentaire d'étaler un manque de confiance tellement avilissant qu'il contamine quiconque l'accepterait.

Ce qui nous amène à énoncer le principe suivant : la bonne formulation d'une invitation — comme indiqué au chapitre 4 — est celle qui conduit la personne invitée à ne pas pouvoir accepter sans se mettre elle-même dans une situation humiliante.

Deux variantes sont possibles :

1. « Que faites-vous samedi soir ? »

2. « Avez-vous des projets pour samedi soir ? »

Accepter ce genre d'invitation revient à dire : « Je n'ai absolument rien à faire, à moins que vous ne me proposiez quelque chose. »

De plus, votre interlocuteur court le risque de prendre pour une invitation ce qui n'est qu'une enquête discrète sur sa vie sociale et son degré de popularité.

Une fois établi que la personne que vous invitez est prête à accepter votre invitation, la dernière étape consiste à rendre ce que vous proposez aussi peu tentant que possible. Par exemple :

1. « Des gens que je connais donnent une soirée. Ils ne sont pas très rigolos, mais on ne sait jamais. Si on y allait ? »

2. « Mon oncle m'a donné deux billets gratuits pour un concert qui risque d'être plutôt ennuyeux. Et les places ne sont pas très bonnes. Je ne pense pas que cela vous intéresse, si ? »

L'Épreuve de la Sortie

Si, malgré tous ces stratagèmes, vous n'avez pu échapper à un rendez-vous, vous devrez subir alors l'Épreuve de la Sortie. Ne désespérez pas pour autant. Vous pouvez encore gâcher cette soirée, passer un moment sinistre et compromettre définitivement cette relation.

Comment y parvenir ?

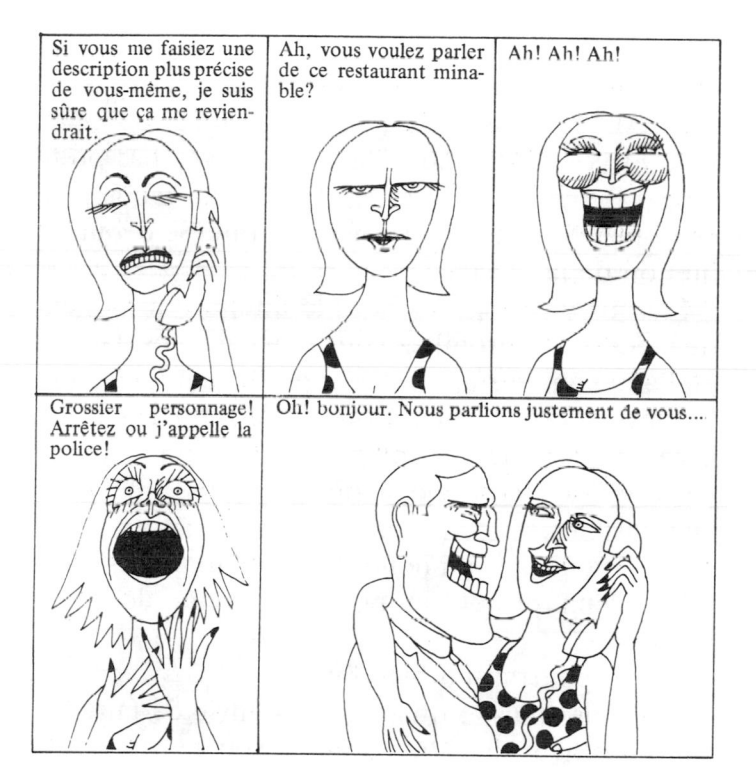

Fig. 17 : Réponses féminines possibles à une proposition de rendez-vous

Imaginez une ou plusieurs de ces réactions avant d'appeler un Rejeteur Potentiel féminin.

10 façons de gâcher une bonne soirée

1. Si vous êtes une femme : ne soyez pas prête quand il arrivera ; faites-le attendre au moins une demi-heure, surtout s'il a peur de rater le début du film ou de la pièce.

Si vous vivez seule, faites-le attendre dans l'entrée. Sinon, débrouillez-vous pour que vos parents ou l'amie qui partage votre appartement lui fassent la conversation ou encore que votre animal favori se livre à des débordements d'affection qui lui laisseront un costume entièrement tissé de poils bien visibles.

2. Si vous êtes un homme : présentez-vous tard, sans aucun projet, et posez ce genre de questions :

« Que pourrait-on bien faire ? »

« Je suis épuisé : qu'avez-vous envie de faire ? »

« Vous avez des idées pour ce soir ? »

3. Si vous êtes une femme : sabotez toutes ses propositions. Par exemple :

Manœuvre de Sabotage n° 1 : « Allons danser quelque part. — Je danse comme un pied. »

Manœuvre n° 2 : « Allons voir une pièce. — Je ne comprends jamais de quoi il s'agit. »

Manœuvre n° 3 : « Allons dîner dans un restaurant chinois. — La cuisine chinoise me rend malade [1]. »

4. Si vous êtes un homme : parlez de votre répugnance pour le mariage. Si vous êtes une femme : dites-lui combien vous avez hâte de vous marier et quel genre d'éducation religieuse vous voulez pour vos enfants.

5. Parlez de vos défauts ou de ceux de votre partenaire. Critiquez-le (la) s'il (elle) fume ou boit ou s'il (elle) ne fume ou ne boit pas.

6. Parlez de psychanalyse. Parlez-lui de votre analyse, si vous en faites une, et poussez-le (la) à en faire une. S'il (elle) en fait déjà et vous non, moquez-vous de lui (elle) et poussez-le (la) à arrêter.

7. Tournez en dérision le moindre de ses gestes tendres pendant la soirée.

8. Moquez-vous de lui (elle) à propos de chaque connaissance du sexe opposé qu'il (elle) rencontre dans la rue.

9. Parlez de ceux (celles) avec lesquels(lles) vous êtes déjà sorti, vous sortez ou vous aimeriez sortir.

10. Au restaurant, demandez à votre partenaire une bouchée de tout de qu'il (elle) mange. Recom-

1. Bonne occasion pour associer une Manœuvre de Sabotage à un Défaut Secret Embarrassant.

mencez. Une fois, deux fois, trois fois... Même la personne la plus attentionnée deviendra hystérique et le rejet sera inévitable.

Colles

PROBLÈME Nº 1 : Vous êtes un homme et vous appelez une femme que vous ne connaissez pas pour prendre rendez-vous avec elle. Comment formuler votre phrase d'introduction pour être sûr d'être rejeté ?

SOLUTION : « Bonjour. Vous ne me connaissez pas. C'est un type avec lequel vous étiez au lycée qui m'a donné votre numéro. Mais il pensait que vous seriez mariée. Comment se fait-il que vous ne le soyez pas ? »

PROBLÈME Nº 2 : Vous êtes une femme et vous avez accepté un rendez-vous avec un homme que vous n'avez jamais vu. Ce dernier demande comment il vous reconnaîtra. Que pouvez-vous lui répondre ?

SOLUTION : « Je suis plutôt forte. Et comme je suis enrhumée, j'ai le nez rouge. »

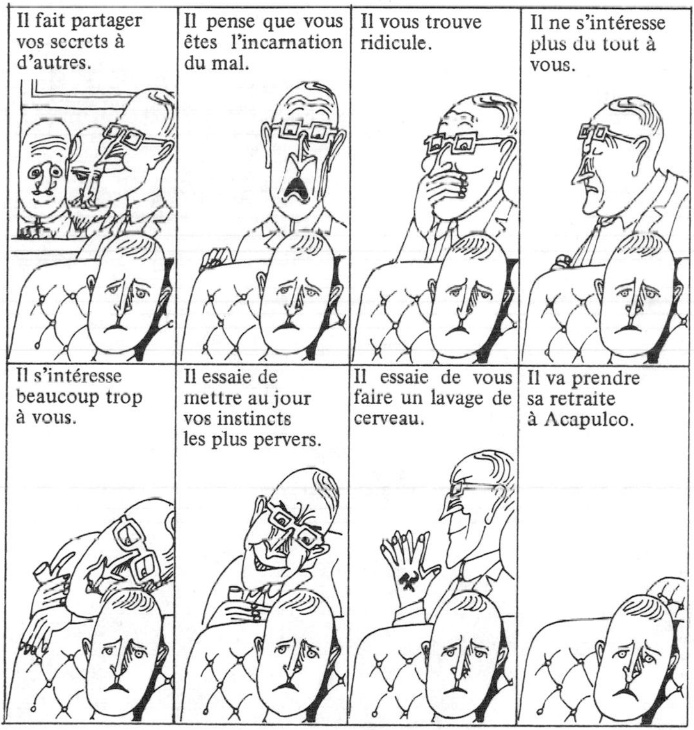

Fig. 18 : Vous et votre psy. Ce qu'il est convenu de craindre

Pour empêcher que l'analyse ne défasse tout le bien que ce manuel vous fait, représentez-vous ces situations pendant vos séances.

7. Comment casser une véritable relation amoureuse

L'amateur pense, sans doute, que plus la relation est profonde, plus il est difficile d'en tirer de la souffrance et d'obtenir le rejet.

En tant que professionnels, nous sommes heureux de vous affirmer qu'il n'en est rien. En fait, c'est le contraire qui est vrai. Plus l'investissement est profond, plus il y a d'occasions de souffrance. Ou, en termes scientifiques : si l'investissement croît en proportion arithmétique, la souffrance potentielle augmente, elle, en proportion géométrique.

Cela ne signifie aucunement que réussir à vous faire rejeter par votre amant, femme ou mari soit chose aisée. Bien au contraire, cela risque d'être très difficile, à moins d'avoir recours à la ruse et à la dissimulation. Pourquoi ?

D'abord parce que — peu importe que vous le croyiez ou non — votre partenaire vous est sûrement très attaché. Ensuite parce qu'il (elle) est tout

aussi désireux(se) *que ce soit vous le responsable* de
la rupture.

Pour être sûr que ce sera vous, et non votre
partenaire, qui serez finalement le mieux placé sur
l'échelle du Complet Désastre Personnel, nous vous
proposons quelques Manœuvres Antirelations à
Effet Destructeur Garanti.

**Manœuvre de Destruction d'une Relation n° 1 :
le test du Grand Amour**

On peut utiliser cette manœuvre à n'importe quel
stade d'une relation, mais elle convient particulièrement aux prémisses d'une histoire et nous la préco-
nisons comme premier stratagème.

Cette manœuvre, tout comme les suivantes, est
bien évidemment fondée sur la stratégie du Rejetez-moi.

Coup n° 1

VOUS : « Tu m'aimes ? »
L'AUTRE : « Oui, bien sûr que je t'aime. »

Coup n° 2

VOUS : « Mais est-ce que tu m'aimes vraiment ? »

L'AUTRE : « Oui, je t'aime vraiment. »

VOUS : « Tu m'aimes vraiment vraiment ? »

L'AUTRE : « Oui, je t'aime vraiment vraiment. »

VOUS : « Tu es sûr que tu m'aimes ? Tu en es vraiment sûr ? »

L'AUTRE : « Oui, j'en suis parfaitement sûr. »
(*Silence.*)

VOUS : « Mais sais-tu ce qu'aimer veut dire ? »
(*Silence.*)

L'AUTRE : « Heu... Je ne sais pas. »

VOUS : « Alors, comment peux-tu être sûr de m'aimer ? »
(*Silence.*)

L'AUTRE : « C'est vrai... Peut-être que je ne peux pas. »

Coup n° 3

VOUS : « Tu ne peux pas, hein ? Bon, alors, si tu n'es même pas capable d'être sûr de m'aimer, je ne vois vraiment pas quel est l'intérêt de rester ensemble. Et toi ? »
(*Silence.*)

L'AUTRE : « Je ne sais pas. Peut-être aucun. »
(*Silence.*)

VOUS : « Tu préparais ça depuis un bon moment, non ? »

Le lecteur notera bien qu'au cours de cet échange

l'essentiel se joue sur une simple demande de réassurance qui, une fois satisfaite, est tenue pour négligeable [1].

En cela, la technique utilisée ne diffère pas du premier mouvement de la stratégie du Rejetez-moi et pourrait donc ainsi constituer à elle seule une bonne Manœuvre de Destruction d'une Relation. Autrement dit, vous pourriez vous contenter de répéter : « Tu m'aimes ? » jusqu'à ce que votre partenaire, épuisé, saturé, exaspéré, cesse de vous répondre oui.

C'est cependant l'introduction de la question philosophique : « Mais sais-tu ce qu'aimer veut dire ? » qui établit véritablement le rejet.

Précisons toutefois qu'il n'est pas nécessaire d'effectuer la manœuvre dans son intégralité lors de votre premier essai. Vous pouvez décider de vous arrêter juste avant le coup n° 3, une fois que votre partenaire a fini par admettre qu'il (elle) ne vous aime peut-être pas. Cela constitue déjà une petite victoire en soi et peut vous offrir de quoi faire grise mine et broyer du noir pendant plusieurs jours. Ensuite, une fois que vous vous jugerez prêt pour un peu plus d'autopunition, vous pouvez reprendre

---

1. Pour un résultat optimal, on utilisera cette manœuvre, comme tous les autres tests d'affection, lorsque celui (celle) que l'on veut mettre à l'épreuve est complètement pris par autre chose, par exemple lorsqu'il (elle) est en train de doubler sur une route à trois voies et que surgissent deux camions faisant la course.

la manœuvre à zéro et vous arrêter de nouveau avant le coup n° 3 ou continuer jusqu'à la victoire.

Manœuvre de Destruction d'une Relation n° 2 : le Grand Défi du Mariage

Cette manœuvre qui, comme la précédente, est efficace à n'importe quel stade de la relation, est toutefois particulièrement bienvenue dans les premiers temps.

Également dérivée de la formule du Rejetez-moi, elle s'exécute normalement en deux temps décomposés ainsi : le premier coup consiste à exprimer une demande incongrue ou exorbitante ; le second à ignorer les signaux indiquant que le défi ne sera pas relevé et à surenchérir avec un ultimatum sans nuances.

Par exemple, si votre partenaire répond de façon évasive à la question : « Quand allons-nous nous marier ? », vous pouvez enchaîner avec : « Ou nous fixons la date dès maintenant, ou nous ne nous voyons plus. » Si vous avez bien planifié le déroulement de la manœuvre, la réponse de votre partenaire ne manquera pas d'être : « Alors je pense que nous devrions cesser de nous voir. » Signalons enfin que le Grand Défi du Mariage, s'il est particulièrement prisé par les femmes, fonctionne également très bien avec les hommes.

Manœuvre de Destruction d'une Relation n° 3 : « Que reste-t-il entre nous [1] ? »

Comme l'indique clairement la première phrase du dialogue suivant, cette manœuvre doit être exécutée juste après une dispute, si possible la première. Mais rien ne vous empêche de l'associer à l'une ou l'autre des manœuvres décrites dans ce chapitre — en prolongement du test du Grand Amour, par exemple.

Coup du Rejetez-moi n° 1

VOUS : « C'est notre première vraie dispute… »
L'AUTRE : « Oui. »
(*Silence.*)
VOUS : « Crois-tu que nous ayons encore quelque chose en commun ? »
L'AUTRE : « Quoi ? Qu'est-ce que tu veux dire ? »
VOUS : « Je veux dire, est-ce que tu penses qu'il reste encore quelque chose entre nous ? »

---

1. Les manœuvres 3, 4 et 5 sont tout aussi efficaces pour les couples mariés. De même que la manœuvre n° 1.

L'AUTRE : « Mais bien sûr... (*Silence.*) Parce que... pas toi ? »

Coup n° 2

VOUS : « En tout cas, je le pensais avant... »
L'AUTRE : « C'est censé vouloir dire quoi ? »
VOUS : « Que je le pensais avant. »
L'AUTRE : « Et plus maintenant ? »
(*Silence.*)
VOUS : « Je ne sais pas. Qu'en penses-tu, *toi* ? »
(*Silence.*)
L'AUTRE : « Je ne sais pas. Je le pensais avant. »
VOUS : « Mais maintenant tu n'en es plus sûr. C'est ça ? »
(*Silence.*)
L'AUTRE : « Je ne sais pas. Peut-être pas. »

Coup n° 3

VOUS : « Bon, eh bien, puisque manifestement tu as l'intention de rompre avec moi plus ou moins rapidement, tu ferais mieux de le faire vite sans prolonger le supplice. »

A nouveau, comme dans le test du Grand Amour, vous n'êtes pas obligé de tout faire dans la foulée : vous pouvez vous réserver le coup n° 3 pour le jour où vous aurez décidé d'aller jusqu'au bout de la manœuvre.

Notez bien que le coup n° 3 introduit l'idée que votre partenaire a — de toute évidence — l'intention de rompre avec vous à plus ou moins brève échéance. Bien que d'un ridicule achevé, l'idée fera désormais son chemin et, du moins inconsciemment, vous finirez l'un et l'autre par l'accepter.

Manœuvre de Destruction d'une Relation n° 4 : « Ne me quitte pas. »

Cette manœuvre constitue une variante de la manœuvre n° 1. Il suffit de remplacer : « Est-ce que tu m'aimes ? » par l'adjuration : « Ne me quitte pas » jusqu'à ce que le partenaire soit à bout, après s'être épuisé en vaines tentatives pour vous rassurer.

Après votre dixième « Ne me quitte pas », exiger de votre partenaire une preuve tangible qu'il restera toujours avec vous peut suffire à mettre un terme à votre relation. Sinon, à tout le moins, cela introduira l'*idée* de la rupture là où elle n'existait sans doute pas auparavant.

Une légère variante de cette manœuvre consiste à dire en passant : « Un jour tu me quitteras. » Phrase inoffensive à première vue, mais dont la répétition fera une prophétie et un procédé tout aussi efficace que le « Ne me quitte pas ».

Manœuvre de Destruction d'une Relation n° 5 : « Ne te gêne pas pour moi. »

Il existe deux façons de se servir du soupçon que votre partenaire, amant ou maîtresse, mari ou femme, trouve un(e) de vos amis(es) plus séduisant(e) que vous. La première consiste à le lui répéter sans cesse. Si la jalousie avouée représente un moyen plutôt rudimentaire d'obtenir le rejet, elle demeure néanmoins très efficace.

La seconde méthode consiste non seulement à dissimuler votre jalousie mais aussi à vous donner toutes les peines du monde pour prouver que vous n'êtes pas jaloux. Ce que vous perdez en humiliation immédiate sera largement compensé par la Douleur à Long Terme.

Cette manœuvre, tout comme celle du « Ne me quitte pas », exige une longue période d'incubation. Et si elle est la plus éprouvante, elle est aussi la plus gratifiante de toutes celles présentées ici.

Pour vous préparer, nous vous proposons un petit exercice préalable, le « Parle-moi de ton passé », dont le refrain est donc : « Parle-moi de ton passé, dis-moi tout, ne me cache rien. » Puis vous enchaînez avec entrain. Après avoir travaillé ce thème plusieurs semaines, vous serez tellement blasé que vous ne ressentirez plus la moindre souffrance en entendant les descriptions détaillées des anciennes idylles de votre partenaire. Il est alors temps de passer à l'exercice suivant. Vous pouvez pousser plus ou moins loin cette manœuvre : cela dépendra de votre degré de sophistication, de votre résistance à la douleur et de la sincérité de votre quête du Complet Désastre Personnel.

vous : « Jacques [1] semble très attiré par toi. »

L'AUTRE : « Ah oui, tu crois ? »

vous : « Oui. Il est d'ailleurs plutôt séduisant, tu ne trouves pas ? Je veux dire physiquement. »

L'AUTRE : « Je ne sais pas. Sans doute. A dire vrai, je n'y ai jamais fait très attention. »

vous : « Je parie que tu t'es déjà demandé comment ce serait de sortir avec lui. »

L'AUTRE : « Non, pas vraiment ! »

vous : « Allons. Tu ne me feras pas croire que ça ne t'est jamais venu à l'esprit. »

L'AUTRE : « Non, vraiment. Pas jusqu'à maintenant en tout cas. »

vous : « Pas jusqu'à maintenant, ah oui ? (*Silence.*) Je parie que tu aimerais quand même sortir avec lui. Non ? »

L'AUTRE : « Pas particulièrement. »

vous : « Tu veux me faire croire que tu ne serais

1. Ou Jacqueline, bien sûr, selon les cas.

Fig. 19 : Perspectives à envisager après avoir fait ou accepté une proposition de mariage

1. L'éventualité de rencontrer le partenaire idéal le lendemain du mariage. — **2.** La probabilité que la vie commune entraînera un ennui mortel. — **3.** Le coût moral et financier d'un divorce. — **4.** Ce qu'une famille vous empêchera de faire. — **5.** La possibilité que chacun de vous n'évolue à des rythmes différents.

même pas curieuse de savoir comment ça serait, même s'il n'y avait aucun risque que cela me fasse de la peine ? »

(*Silence.*)

L'AUTRE : « Heu... Je ne sais pas... »

VOUS : « Bon, écoute, je veux simplement que tu saches que, si jamais tu te sentais la moindre curiosité, je trouve que tu devrais aller jusqu'au bout. »

L'AUTRE : « Tu penses ça ? »

VOUS : « Juste pour voir comment c'est. Juste pour ne plus y penser. »

L'AUTRE : « Ça ne te ferait vraiment rien ? »

VOUS : « Non. Je n'ai pas dit ça. Bien sûr que cela me ferait quelque chose. Mais je préférerais de beaucoup que tu ailles jusqu'au bout pour être fixée plutôt que de ne pas le faire et que cela devienne une obsession. Tu vois ce que je veux dire ? »

(*Silence.*)

L'AUTRE : « Oui... Je vois. »

Test

Imaginez qu'avant même que vous n'ayez eu l'occasion d'entreprendre une Manœuvre de Destruction, votre partenaire vous prenne de vitesse. Comment pouvez-vous contrer ses cinq manœuvres avant de vous trouver acculé au rejet ?

Comparez vos solutions avec les contre-manœuvres suivantes :

1. *Contre-manœuvre au test du Grand Amour*

L'AUTRE : « Tu m'aimes ? »
VOUS : « Si toi, tu étais sûr de m'aimer, tu ne poserais jamais cette question. »

2. *Contre-manœuvre au Grand Défi du Mariage*

L'AUTRE : « Quand allons-nous nous marier ? »
VOUS : « Dès que tu auras réussi à me convaincre que tu ne regarderas ou ne parleras plus jamais à un autre homme. »

3. *Contre-manœuvre au « Que reste-t-il entre nous ? »*

L'AUTRE : « Que nous reste-t-il en commun ? »
VOUS : « C'est ta façon tortueuse de me dire que tu en as assez de moi ? »

4. *Contre-manœuvre au « Ne me quitte pas »*

L'AUTRE : « Un jour tu vas me quitter. »
VOUS : « Personne ne voudrait de moi si je le faisais. »

5. *Contre-manœuvre au « Ne te gêne pas pour moi »*

L'AUTRE : « Jacques semble très attiré par toi. »

VOUS : « Comment peux-tu être aussi aveugle : c'est toi qui lui plais. »

8. Comment perdre les (quelques) amis qui vous restent

A ce stade des opérations, nous pouvons raisonnablement penser que vous vous êtes débarrassé de votre travail et de votre partenaire.

Occupons-nous maintenant de vos amis.

Le Niveau d'Échec Acceptable

Il est vrai que vous pouvez toujours aller voir vos amis et partager avec eux vos joies et vos peines. Ils seront là. Mais il est tout aussi vrai que, si vous avez trop des unes et des autres, vous risquez fort de perdre votre auditoire.

Le graphique (fig. 20) montre bien que, si votre objectif est de *garder* vos amis, vous devez vous maintenir au Niveau d'Échec Acceptable. Si, en revanche, votre objectif est de les *perdre,* vous devez vous éloigner de ce niveau dans un sens ou dans un autre.

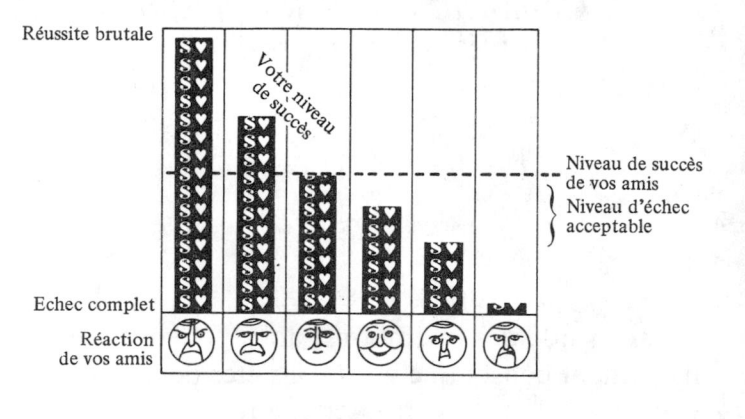

Fig. 20 : Réaction de vos amis à vos succès

Puisque vous avez déjà perdu votre travail et votre partenaire, le niveau devra s'abaisser.

Répétez à vos amis à quel point vous êtes nul. Appelez-les tous les jours, plusieurs fois par jour. Plaignez-vous. Lamentez-vous. Pleurez même si possible. Reprochez-leur de ne pas vous téléphoner assez souvent, de ne pas s'occuper de vous. Accusez-les de vous laisser tomber quand vous avez besoin d'eux. Montrez que vous êtes blessé, terriblement blessé. Si vous vous appliquez à maintenir ce cap, avant même que vous ne vous en rendiez compte, vous serez...

Fig. 21 : Pour élèves avancés. Équipement de base pour broyer du noir

A. Relevé du nombre de cigarettes fumées jusque-là. — **B.** Lampe à iode pour grossir les défauts du visage. — **C.** Miroirs pour surveiller la progression de votre calvitie. — **D.** Photos prises avant de vous être fait refaire le nez. — **E.** Verre en cristal très précieux posé en équilibre instable. — **F.** Appareil électrique cassé. — **G.** Boîte de vieilles lettres d'amour d'une ex qui vous a rejeté. — **H.** Radios dentaires et pulmonaires sur écran lumineux pour examen approfondi. — **I.** Téléphone. — **J.** Chaussures trop étroites pour être portées, trop vieilles pour être rendues, mais trop neuves pour être jetées. — **K.** Photos de camarades de classe et inscription de leur probable revenu annuel. — **L.** Avis de décès de gens plus jeunes que vous. — **M.** Tableau d'espérance de vie avec décompte des jours qui vous restent.

Enfin seul !

Félicitations ! Vous avez fait fuir tout le monde. Maintenant que vous n'avez plus ni travail, ni amis, ni petit(e) ami(e), vous pouvez tout à loisir ressasser vingt-quatre heures sur vingt-quatre que la vie est vraiment pourrie et que tout le monde vous a finalement trahi comme vous l'aviez toujours prévu.

Grâce à ce livre, vous avez maintenant atteint le but ultime : le Complet Désastre Personnel. Et vous avez été puni pour votre faute.

Vraiment ?

Complètement ?

Table

Introduction 7

Comment se rendre malheureux
sans l'aide de quiconque

1. *Techniques de base pour se torturer* . . 11

Pourquoi vous devez vous rendre malheureux 11

**Comment créer une Angoisse de Première
Classe** 13

- Comment sélectionner une Crainte à Trois
  dimensions 14
- Le pouvoir de la Pensée Négative 16
- Comment faire mûrir votre crainte 21
- De la crainte à l'angoisse 21
- Exercice de Création d'Angoisses 24
- Test de Pensée Négative 26

2. *Sept situations classiques productrices d'angoisse* 29

- Les bruits nocturnes 29
- Les cadeaux 30
- L'attente 32
- Les vacances 33
- Les soirées 34
- Les infractions mineures 38
- Les voyages en avion 38
- Test 43

3. *A la recherche du malheur : le passé, le présent, l'avenir* 45

Conditions optimales pour broyer du noir . . 45

- Le dimanche après-midi 46
- Les festivités du Jour de l'An 47
- 17 principes de base 50

Le passé mode d'emploi 52

Le présent mode d'emploi 54

- Suggestions d'idées à ressasser 55
- La richesse 55
- La célébrité 58
- La beauté 60
- Le talent 62

L'avenir mode d'emploi 63

- Exercice : 17 travaux pratiques pour débutants 65
- Épreuve finale 68

Comment se rendre malheureux
avec l'aide d'autrui

4. *Comment perdre ses amis et se mettre*
   tout le monde à dos   71

   Le portrait du Candidat au Rejet   72

   - Le maintien Rejetez-moi   73
   - L'intonation Rejetez-moi   74

   La Dynamique du Rejet   74

   - Sélectionner un Rejeteur Potentiel Promet-
     teur   75
   - Une aide au rejet : l'Excuse   76
   - Stratégie et tactiques du Rejetez-moi   82
   - Application   83
   - Comment se comporter face à un Rejeteur
     Récalcitrant   85
   - Test : l'impasse   87

5. *Comment perdre son travail*   89

   - Le credo du Sous-Payé   90
   - Comment rétablir l'équilibre   91
   - Test   94

6. *Comment éviter de véritables relations*
   amoureuses   95

   Le cauchemar des soirées   96

   - La manœuvre du « Pas de conversation » . .   98

Le téléphone comme Instrument d'Autotorture   100

- Attendre un coup de fil   101
- Téléphoner pour prendre rendez-vous . . .   107
- Quelques Entrées en Matière efficaces . . .   110
- L'invitation   111

L'Épreuve de la Sortie   112

- 10 façons de gâcher une bonne soirée   114
- Colles   116

7. *Comment casser une véritable relation amoureuse*   119

- Le test du Grand Amour   120
- Le Grand Défi du Mariage   123
- « Que reste-t-il entre nous ? »   124
- « Ne me quitte pas »   126
- « Ne te gêne pas pour moi »   127
- Test   130

8. *Comment perdre les (quelques) amis qui vous restent*   133

- Le Niveau d'Échec Acceptable   133
- Enfin seul !   136

IMPRIMERIE HÉRISSEY A ÉVREUX (EURE)
DÉPÔT LÉGAL : MARS 1985. N° 8693 (36219)

Collection Points

SÉRIE POINT-VIRGULE

V1. Manuel de savoir-vivre à l'usage des rustres et des malpolis
   par Pierre Desproges
V2. Petit Fictionnaire illustré
   par Alain Finkielkraut
V3. Quand j'avais cinq ans, je m'ai tué
   par Howard Buten
V4. Lettres à sa fille (1877-1902)
   par Calamity Jane
V5. Café Panique, *par Roland Topor*
V6. Le Jardin de ciment, *par Ian McEwan*
V7. L'Age-déraison, *par Daniel Rondeau*
V8. Juliette a-t-elle un grand Cui ?
   par Hélène Ray
V9. T'es pas mort !, *par Antonio Skarmeta*
V10. Petite Fille rouge avec un couteau
   par Myrielle Marc
V11. Manuel à l'usage des enfants qui ont des parents difficiles
   par Jeanne Van den Brouck
V12. Le A nouveau est arrivé
   par Pierre Ziegelmeyer et Jean-Benoît Thirion
V13. Comment faire l'enfant (17 leçons pour ne pas grandir)
   par Delia Ephron
V14. Zig-Zag, *par Alain Cahen*
V15. Plumards, de cheval, *par Groucho Marx*
V16. Bleu, je veux, *par Gisèle Bienne*
V17. Moi et les Autres, *par Albert Jacquard*
V18. Au vrai chic anatomique, *par Frédéric Pagès*
V19. Le Petit Pater illustré, *par Jacques Pater*
V20. Cherche souris pour garder chat, *par Hélène Ray*
V21. Un enfant dans la guerre, *par Saïd Ferdi*
V22. La Danse du coucou, *par Aidan Chambers*
V23. Mémoires d'un amant lamentable
   par Groucho Marx
V24. Le Cœur sous le rouleau compresseur
   par Howard Buten
V25. Le Cinéma américain, *par Olivier-René Veillon*
V26. Voilà un baiser, *par Anne Perry-Bouquet*
V27. Le Cycliste de San Cristobal, *par Antonio Skarmeta*
V28. Tchao l'enfance, craignos l'amour
   par Delia Ephron
V29. Mémoires capitales, *par Groucho Marx*

V30. Dieu, Shakespeare et Moi, *par Woody Allen*
V31. Dictionnaire superflu à l'usage de l'élite et des bien nantis
par Pierre Desproges
V32. Je t'aime, je te tue, *par Morgan Sportes*
V33. Rock-Vinyl (Pour une discothèque du rock)
par Jean-Marie Leduc
V34. Le Manuel du parfait petit masochiste
par Dan Greenburg

Collection Points

SÉRIE ROMAN

R1.   Le Tambour, *par Günter Grass*
R2.   Le Dernier des Justes, *par André Schwarz-Bart*
R3.   Le Guépard, *par Giuseppe Tomasi di Lampedusa*
R4.   La Côte sauvage, *par Jean René Huguenin*
R5.   Acid Test, *par Tom Wolfe*
R6.   Je vivrai l'amour des autres, *par Jean Cayrol*
R7.   Les Cahiers de Malte Laurids Brigge
      par Rainer Maria Rilke
R8.   Moha le fou, Moha le sage, *par Tahar Ben Jelloun*
R9.   L'Horloger du Cherche-Midi, *par Luc Estang*
R10. Le Baron perché, *par Italo Calvino*
R11. Les Bienheureux de La Désolation, *par Hervé Bazin*
R12. Salut Galarneau !, *par Jacques Godbout*
R13. Cela s'appelle l'aurore, *par Emmanuel Roblès*
R14. Les Désarrois de l'élève Törless, *par Robert Musil*
R15. Pluie et Vent sur Télumée Miracle
      par Simone Schwarz-Bart
R16. La Traque, *par Herbert Lieberman*
R17. L'Imprécateur, *par René-Victor Pilhes*
R18. Cent Ans de solitude, *par Gabriel Garcia Marquez*
R19. Moi d'abord, *par Katherine Pancol*
R20. Un jour, *par Maurice Genevoix*
R21. Un pas d'homme, *par Marie Susini*
R22. La Grimace, *par Heinrich Böll*
R23. L'Age du tendre, *par Marie Chaix*
R24. Une tempête, *par Aimé Césaire*
R25. Moustiques, *par William Faulkner*
R26. La Fantaisie du voyageur, *par François-Régis Bastide*
R27. Le Turbot, *par Günter Grass*
R28. Le Parc, *par Philippe Sollers*
R29. Ti Jean L'horizon, *par Simone Schwarz-Bart*
R30. Affaires étrangères, *par Jean-Marc Roberts*
R31. Nedjma, *par Kateb Yacine*
R32. Le Vertige, *par Evguénia Guinzbourg*
R33. La Motte rouge, *par Maurice Genevoix*
R34. Les Buddenbrook, *par Thomas Mann*
R35. Grand Reportage, *par Michèle Manceaux*
R36. Isaac le mystérieux (Le Ver et le Solitaire)
      par Jerome Charyn
R37. Le Passage, *par Jean Reverzy*
R38. Chesapeake, *par James A. Michener*

R39. Le Testament d'un poète juif assassiné, *par Elie Wiesel*
R40. Candido, *par Leonardo Sciascia*
R41. Le Voyage à Paimpol, *par Dorothée Letessier*
R42. L'Honneur perdu de Katharina Blum, *par Heinrich Böll*
R43. Le Pays sous l'écorce, *par Jacques Lacarrière*
R44. Le Monde selon Garp, *par John Irving*
R45. Les Trois Jours du cavalier, *par Nicole Ciravégna*
R46. Nécropolis, *par Herbert Lieberman*
R47. Fort Saganne, *par Louis Gardel*
R48. La Ligne 12, *par Raymond Jean*
R49. Les Années de chien, *par Günter Grass*
R50. La Réclusion solitaire, *par Tahar Ben Jelloun*
R51. Senilità, *par Italo Svevo*
R52. Trente Mille Jours, *par Maurice Genevoix*
R53. Cabinet Portrait, *par Jean-Luc Benoziglio*
R54. Saison violente, *par Emmanuel Roblès*
R55. Une comédie française, *par Erik Orsenna*
R56. Le Pain nu, *par Mohamed Choukri*
R57. Sarah et le Lieutenant français, *par John Fowles*
R58. Le Dernier Viking, *par Patrick Grainville*
R59. La Mort de la phalène, *par Virginia Woolf*
R60. L'Homme sans qualités, tome 1, *par Robert Musil*
R61. L'Homme sans qualités, tome 2, *par Robert Musil*
R62. L'Enfant de la mer de Chine, *par Didier Decoin*
R63. Le Professeur et la Sirène
     par Giuseppe Tomasi di Lampedusa
R64. Le Grand Hiver, *par Ismaïl Kadaré*
R65. Le Cœur du voyage, *par Pierre Moustiers*
R66. Le Tunnel, *par Ernesto Sabato*
R67. Kamouraska, *par Anne Hébert*
R68. Machenka, *par Vladimir Nabokov*
R69. Le Fils du pauvre, *par Mouloud Feraoun*
R70. Cités à la dérive, *par Stratis Tsirkas*
R71. Place des Angoisses, *par Jean Reverzy*
R72. Le Dernier Chasseur, *par Charles Fox*
R73. Pourquoi pas Venise, *par Michèle Manceaux*
R74. Portrait de groupe avec dame, *par Heinrich Böll*
R75. Lunes de fiel, *par Pascal Bruckner*
R76. Le Canard de bois (Les Fils de la liberté, I)
     par Louis Caron
R77. Jubilee, *par Margaret Walker*
R78. Le Médecin de Cordoue, *par Herbert Le Porrier*
R79. Givre et Sang, *par John Cowper Powys*
R80. La Barbare, *par Katherine Pancol*
R81. Si par une nuit d'hiver un voyageur, *par Italo Calvino*
R82. Gerardo Laïn, *par Michel del Castillo*

R83. Un amour infini, *par Scott Spencer*
R84. Une enquête au pays, *par Driss Chraïbi*
R85. Le Diable sans porte (t. I : Ah, mes aïeux !)
      par Claude Duneton
R86. La Prière de l'absent, *par Tahar Ben Jelloun*
R87. Venise en hiver, *par Emmanuel Roblès*
R88. La Nuit du Décret, *par Michel del Castillo*
R89. Alejandra, *par Ernesto Sabato*
R90. Plein Soleil, *par Marie Susini*
R91. Les Enfants de fortune, *par Jean-Marc Roberts*
R92. Protection encombrante, *par Heinrich Böll*
R93. Lettre d'excuse, *par Raphaële Billetdoux*
R94. Le Voyage indiscret, *par Katherine Mansfield*
R95. La Noire, *par Jean Cayrol*
R96. L'Obsédé (L'Amateur), *par John Fowles*
R97. Siloé, *par Paul Gadenne*
R98. Portrait de l'artiste en jeune chien
      par Dylan Thomas
R99. L'Autre, *par Julien Green*
R100. Histoires pragoises, *par Rainer Maria Rilke*
R101. Bélibaste, *par Henri Gougaud*
R102. Le Ciel de la Kolyma (Le Vertige, II)
      par Evguénia Guinzbourg
R103. La Mulâtresse Solitude, *par André Schwarz-Bart*
R104. L'Homme du Nil, *par Stratis Tsirkas*
R105. La Rhubarbe, *par René-Victor Pilhes*
R106. Gibier de potence, *par Kurt Vonnegut*
R107. Memory Lane, *par Patrick Modiano*
      dessins de Pierre Le Tan
R108. L'Affreux Pastis de la rue des Merles
      par Carlo Emilio Gadda
R109. La Fontaine obscure, *par Raymond Jean*
R110. L'Hôtel New Hampshire, *par John Irving*
R112. Cœur de lièvre, *par John Updike*
R113. Le Temps d'un royaume, *par Rose Vincent*
R114. Poisson-chat, *par Jerome Charyn*
R115. Abraham de Brooklyn, *par Didier Decoin*
R116. Trois Femmes, *suivi de* Noces, *par Robert Musil*
R117. Les Enfants du sabbat, *par Anne Hébert*
R118. La Palmeraie, *par François-Régis Bastide*
R119. Maria Republica, *par Agustin Gomez-Arcos*
R120. La Joie, *par Georges Bernanos*
R121. Incognito, *par Petru Dumitriu*
R122. Les Forteresses noires, *par Patrick Grainville*
R123. L'Ange des ténèbres, *par Ernesto Sabato*
R124. La Fiera, *par Marie Susini*

R125. La Marche de Radetzky, *par Joseph Roth*
R126. Le vent souffle où il veut
       par Paul-André Lesort
R127. Si j'étais vous..., *par Julien Green*
R128. Le Mendiant de Jérusalem, *par Elie Wiesel*
R129. Mortelle, *par Christopher Frank*
R130. La France m'épuise, *par Jean-Louis Curtis*
R131. Le Chevalier inexistant, *par Italo Calvino*
R132. Dialogues des Carmélites, *par Georges Bernanos*
R133. L'Étrusque, *par Mika Waltari*
R134. La Rencontre des hommes, *par Benigno Cacérès*
R135. Le Petit Monde de Don Camillo, *par Giovanni Guareschi*
R136. Le Masque de Dimitrios, *par Eric Ambler*
R137. L'Ami de Vincent, *par Jean-Marc Roberts*
R138. Un homme au singulier, *par Christopher Isherwood*
R139. La Maison du désir, *par France Huser*
R140. Moi et ma cheminée, *par Herman Melville*
R141. Les Fous de Bassan, *par Anne Hébert*
R142. Les Stigmates, *par Luc Estang*
R143. Le Chat et la Souris, *par Günter Grass*
R144. Loïca, *par Dorothée Letessier*
R145. Paradiso, *par José Lezama Lima*
R146. Passage de Milan, *par Michel Butor*
R147. Anonymus, *par Michèle Manceaux*
R148. La Femme du dimanche
       par Carlo Fruttero et Franco Lucentini
R149. L'Amour monstre, *par Louis Pauwels*
R150. L'Arbre à soleils, *par Henri Gougaud*
R151. Traité du zen et de l'entretien des motocyclettes
       par Robert M. Pirsig
R152. L'Enfant du cinquième Nord, *par Pierre Billon*
R153. N'envoyez plus de roses, *par Eric Ambler*
R154. Les Trois Vies de Babe Ozouf, *par Didier Decoin*
R155. Le Vert Paradis, *par André Brincourt*
R156. Varouna, *par Julien Green*
R157. L'Incendie de Los Angeles, *par Nathanaël West*
R158. Les Belles de Tunis, *par Nine Moati*
R159. Vertes Demeures, *par William-Henry Hudson*
R160. Les Grandes Vacances, *par Francis Ambrière*
R161. Ceux de 14, *par Maurice Genevoix*
R162. Les Villes invisibles, *par Italo Calvino*
R163. L'Agent secret, *par Graham Greene*
R164. La Lézarde, *par Édouard Glissant*
R165. Le Grand Escroc, *par Herman Melville*
R166. Lettre à un ami perdu, *par Patrick Besson*
R167. Evaristo Carriego, *par Jorge Luis Borges*

R168. La Guitare, *par Michel del Castillo*
R169. Épitaphe pour un espion, *par Eric Ambler*
R170. Fin de saison au Palazzo Pedrotti, *par Frédéric Vitoux*
R171. Jeunes Années. Autobiographie 1, *par Julien Green*
R172. Jeunes Années. Autobiographie 2, *par Julien Green*
R173. Les Égarés, *par Frédérick Tristan*
R174. Une affaire de famille, *par Christian Giudicelli*
R175. Le Testament amoureux, *par Rezvani*
R176. C'était cela notre amour, *par Marie Susini*
R177. Souvenirs du triangle d'or, *par Alain Robbe-Grillet*
R178. Les Lauriers du lac de Constance, *par Marie Chaix*
R179. Plan B, *par Chester Himes*
R180. Le Sommeil agité, *par Jean-Marc Roberts*
R181. Roman Roi, *par Renaud Camus*
R182. Vingt Ans et des poussières
       par Didier van Cauwelaert
R183. Le Château des destins croisés
       par Italo Calvino
R184. Le Vent de la nuit, *par Michel del Castillo*
R185. Une curieuse solitude, *par Philippe Sollers*
R186. Les Trafiquants d'armes, *par Eric Ambler*
R187. Un printemps froid, *par Danièle Sallenave*
R188. Mickey l'Ange, *par Geneviève Dormann*
R189. Histoire de la mer, *par Jean Cayrol*
R190. Senso, *par Camillo Boito*
R191. Sous le soleil de Satan, *par Georges Bernanos*
R192. Niembsch ou l'immobilité, *par Peter Härtling*
R193. Prends garde à la douceur des choses
       par Raphaële Billetdoux

Collection Points

1. Histoire du surréalisme, *par Maurice Nadeau*
2. Une théorie scientifique de la culture
   par Bronislaw Malinowski
3. Malraux, Camus, Sartre, Bernanos, *par Emmanuel Mounier*
4. L'Homme unidimensionnel, *par Herbert Marcuse* (épuisé)
5. Écrits I, *par Jacques Lacan*
6. Le Phénomène humain, *par Pierre Teilhard de Chardin*
7. Les Cols blancs, *par C. Wright Mills*
8. Stendhal, Flaubert, *par Jean-Pierre Richard*
9. La Nature dé-naturée, *par Jean Dorst*
10. Mythologies, *par Roland Barthes*
11. Le Nouveau Théâtre américain, *par Franck Jotterand* (épuisé)
12. Morphologie du conte, *par Vladimir Propp*
13. L'Action sociale, *par Guy Rocher*
14. L'Organisation sociale, *par Guy Rocher*
15. Le Changement social, *par Guy Rocher*
16. Les Étapes de la croissance économique, *par W. W. Rostow*
17. Essais de linguistique générale, *par Roman Jakobson* (épuisé)
18. La Philosophie critique de l'histoire, *par Raymond Aron*
19. Essais de sociologie, *par Marcel Mauss*
20. La Part maudite, *par Georges Bataille* (épuisé)
21. Écrits II, *par Jacques Lacan*
22. Éros et Civilisation, *par Herbert Marcuse* (épuisé)
23. Histoire du roman français depuis 1918
    par Claude-Edmonde Magny
24. L'Écriture et l'Expérience des limites, *par Philippe Sollers*
25. La Charte d'Athènes, *par Le Corbusier*
26. Peau noire, Masques blancs, *par Frantz Fanon*
27. Anthropologie, *par Edward Sapir*
28. Le Phénomène bureaucratique, *par Michel Crozier*
29. Vers une civilisation du loisir ? *par Joffre Dumazedier*
30. Pour une bibliothèque scientifique, *par François Russo* (épuisé)
31. Lecture de Brecht, *par Bernard Dort*
32. Ville et Révolution, *par Anatole Kopp*
33. Mise en scène de Phèdre, *par Jean-Louis Barrault*
34. Les Stars, *par Edgar Morin*
35. Le Degré zéro de l'écriture, *suivi de* Nouveaux Essais critiques
    par Roland Barthes
36. Libérer l'avenir, *par Ivan Illich*
37. Structure et Fonction dans la société primitive
    par A. R. Radcliffe-Brown
38. Les Droits de l'écrivain, *par Alexandre Soljénitsyne*
39. Le Retour du tragique, *par Jean-Marie Domenach*

41. La Concurrence capitaliste
    par Jean Cartell et Pierre-Yves Cossé (épuisé)
42. Mise en scène d'Othello, *par Constantin Stanislavski*
43. Le Hasard et la Nécessité, *par Jacques Monod*
44. Le Structuralisme en linguistique, *par Oswald Ducrot*
45. Le Structuralisme : Poétique, *par Tzvetan Todorov*
46. Le Structuralisme en anthropologie, *par Dan Sperber*
47. Le Structuralisme en psychanalyse, *par Moustafa Safouan*
48. Le Structuralisme : Philosophie, *par François Wahl*
49. Le Cas Dominique, *par Françoise Dolto*
51. Trois Essais sur le comportement animal et humain
    par Konrad Lorenz
52. Le Droit à la ville, *suivi de* Espace et Politique
    par Henri Lefebvre
53. Poèmes, *par Léopold Sédar Senghor*
54. Les Élégies de Duino, *suivi de* les Sonnets à Orphée
    par Rainer Maria Rilke (édition bilingue)
55. Pour la sociologie, *par Alain Touraine*
56. Traité du caractère, *par Emmanuel Mounier*
57. L'Enfant, sa « maladie » et les autres, *par Maud Mannoni*
58. Langage et Connaissance, *par Adam Schaff*
59. Une saison au Congo, *par Aimé Césaire*
61. Psychanalyser, *par Serge Leclaire*
63. Mort de la famille, *par David Cooper*
64. A quoi sert la Bourse ? *par Jean-Claude Leconte* (épuisé)
65. La Convivialité, *par Ivan Illich*
66. L'Idéologie structuraliste, *par Henri Lefebvre*
67. La Vérité des prix, *par Hubert Lévy-Lambert* (épuisé)
68. Pour Gramsci, *par Maria-Antonietta Macciocchi*
69. Psychanalyse et Pédiatrie, *par Françoise Dolto*
70. S/Z, *par Roland Barthes*
71. Poésie et Profondeur, *par Jean-Pierre Richard*
72. Le Sauvage et l'Ordinateur, *par Jean-Marie Domenach*
73. Introduction à la littérature fantastique, *par Tzvetan Todorov*
74. Figures I, *par Gérard Genette*
75. Dix Grandes Notions de la sociologie, *par Jean Cazeneuve*
76. Mary Barnes, un voyage à travers la folie
    par Mary Barnes et Joseph Berke
77. L'Homme et la Mort, *par Edgar Morin*
78. Poétique du récit, *par Roland Barthes, Wayne Booth*
    Philippe Hamon et Wolfgang Kayser
79. Les Libérateurs de l'amour, *par Alexandrian*
80. Le Macroscope, *par Joël de Rosnay*
81. Délivrance, *par Maurice Clavel et Philippe Sollers*
82. Système de la peinture, *par Marcelin Pleynet*
83. Pour comprendre les média, *par M. McLuhan*

84. L'Invasion pharmaceutique
    par Jean-Pierre Dupuy et Serge Karsenty
85. Huit Questions de poétique, *par Roman Jakobson*
86. Lectures du désir, *par Raymond Jean*
87. Le Traître, *par André Gorz*
88. Psychiatrie et Anti-Psychiatrie, *par David Cooper*
89. La Dimension cachée, *par Edward T. Hall*
90. Les Vivants et la Mort, *par Jean Ziegler*
91. L'Unité de l'homme, *par le Centre Royaumont*
    1. Le primate et l'homme, *par E. Morin et M. Piattelli-Palmarini*
92. L'Unité de l'homme, *par le Centre Royaumont*
    2. Le cerveau humain, *par E. Morin et M. Piattelli-Palmarini*
93. L'Unité de l'homme, *par le Centre Royaumont*
    3. Pour une anthropologie fondamentale
    par E. Morin et M. Piattelli-Palmarini
94. Pensées, *par Blaise Pascal*
95. L'Exil intérieur, *par Roland Jaccard*
96. Semeiotiké, recherches pour une sémanalyse
    par Julia Kristeva
97. Sur Racine, *par Roland Barthes*
98. Structures syntaxiques, *par Noam Chomsky*
99. Le Psychiatre, son « fou » et la psychanalyse, *par Maud Mannoni*
100. L'Écriture et la Différence, *par Jacques Derrida*
101. Le Pouvoir africain, *par Jean Ziegler*
102. Une logique de la communication
     par P. Watzlawick, J. Helmick Beavin, Don D. Jackson
103. Sémantique de la poésie, *T. Todorov, W. Empson*
     J. Cohen, G. Hartman et F. Rigolot
104. De la France, *par Maria-Antonietta Macciocchi*
105. Small is beautiful, *par E. F. Schumacher*
106. Figures II, *par Gérard Genette*
107. L'Œuvre ouverte, *par Umberto Eco*
108. L'Urbanisme, *par Françoise Choay*
109. Le Paradigme perdu, *par Edgar Morin*
110. Dictionnaire encyclopédique des sciences du langage
     par Oswald Ducrot et Tzvetan Todorov
111. L'Évangile au risque de la psychanalyse (tome 1)
     par Françoise Dolto
112. Un enfant dans l'asile, *par Jean Sandretto*
113. Recherche de Proust, *ouvrage collectif*
114. La Question homosexuelle, *par Marc Oraison*
115. De la psychose paranoïaque dans ses rapports
     avec la personnalité, *par Jacques Lacan*
116. Sade, Fourier, Loyola, *par Roland Barthes*
117. Une société sans école, *par Ivan Illich*
118. Mauvaises Pensées d'un travailleur social, *par Jean Marie Geng*

120. Poétique de la prose, *par Tzvetan Todorov*
121. Théorie d'ensemble, *par Tel Quel*
122. Némésis médicale, *par Ivan Illich*
123. La Méthode
    1. La Nature de la Nature, *par Edgar Morin*
124. Le Désir et la Perversion, *ouvrage collectif*
125. Le langage, cet inconnu, *par Julia Kristeva*
126. On tue un enfant, *par Serge Leclaire*
127. Essais critiques, *par Roland Barthes*
128. Le Je-ne-sais-quoi et le Presque-rien
    1. La manière et l'occasion, *par Vladimir Jankélévitch*
129. L'Analyse structurale du récit, Communications 8
    ouvrage collectif
130. Changements, Paradoxes et Psychothérapie
    par P. Watzlawick, J. Weakland et R. Fisch
131. Onze Études sur la poésie moderne
    par Jean-Pierre Richard
132. L'Enfant arriéré et sa mère, *par Maud Mannoni*
133. La Prairie perdue (Le Roman américain)
    par Jacques Cabau
134. Le Je-ne-sais-quoi et le Presque-rien
    2. La méconnaissance, *par Vladimir Jankélévitch*
135. Le Plaisir du texte, *par Roland Barthes*
136. La Nouvelle Communication, *ouvrage collectif*
137. Le Vif du sujet, *par Edgar Morin*
138. Théories du langage, théories de l'apprentissage
    par le Centre Royaumont
139. Baudelaire, la Femme et Dieu, *par Pierre Emmanuel*
140. Autisme et Psychose de l'enfant, *par Frances Tustin*
141. Le Harem et les Cousins, *par Germaine Tillion*
142. Littérature et Réalité, *ouvrage collectif*
143. La Rumeur d'Orléans, *par Edgar Morin*
144. Partage des femmes, *par Eugénie Lemoine-Luccioni*
145. L'Évangile au risque de la psychanalyse (tome 2)
    par Françoise Dolto
146. Rhétorique générale, *par le Groupe μ*
147. Système de la Mode, *par Roland Barthes*
148. Démasquer le réel, *par Serge Leclaire*
149. Le Juif imaginaire, *par Alain Finkielkraut*
150. Travail de Flaubert, *ouvrage collectif*
151. Journal de Californie, *par Edgar Morin*
152. Pouvoirs de l'horreur, *par Julia Kristeva*
153. Introduction à la philosophie de l'histoire de Hegel
    par Jean Hyppolite
154. La Foi au risque de la psychanalyse
    par Françoise Dolto et Gérard Sévérin

155. Un lieu pour vivre, *par Maud Mannoni*
156. Scandale de la vérité, *suivi de*
     Nous autres Français, *par Georges Bernanos*
157. Enquête sur les idées contemporaines
     par Jean-Marie Domenach
158. L'Affaire Jésus, *par Henri Guillemin*
159. Paroles d'étranger, *par Elie Wiesel*
160. Le Langage silencieux, *par Edward T. Hall*
161. La Rive gauche, *par Herbert R. Lottman*
162. La Réalité de la réalité, *par Paul Watzlawick*
163. Les Chemins de la vie, *par Joël de Rosnay*
164. Dandies, *par Roger Kempf*
165. Histoire personnelle de la France, *par François George*
166. La Puissance et la Fragilité, *par Jean Hamburger*
167. Le Traité du sablier, *par Ernst Jünger*
168. Pensée de Rousseau, *ouvrage collectif*
169. La Violence du calme, *par Viviane Forrester*
170. Pour sortir du XXe siècle, *par Edgar Morin*
171. La Communication, Hermès I
     par Michel Serres
172. Sexualités occidentales, Communications 35
     ouvrage collectif
173. Lettre aux Anglais, *par Georges Bernanos*
174. La Révolution du langage poétique
     par Julia Kristeva
175. La Méthode
     2. La Vie de la Vie, *par Edgar Morin*
176. Théories du symbole, *par Tzvetan Todorov*
177. Mémoires d'un névropathe, *par Daniel Paul Schreber*

Collection Points

SÉRIE ACTUELS

A1. Lettres de prison, *par Gabrielle Russier*
A2. J'étais un drogué, *par Guy Champagne*
A3. Les Dossiers noirs de la police française, *par Denis Langlois*
A4. Do It, *par Jerry Rubin*
A5. Les Industriels de la fraude fiscale, *par Jean Cosson*
A6. Entretiens avec Allende, *par Régis Debray* (épuisé)
A7. De la Chine, *par Maria-Antonietta Macciocchi*
A8. Après la drogue, *par Guy Champagne*
A9. Les Grandes Manœuvres de l'opium
    par Catherine Lamour et Michel Lamberti
A10. Les Dossiers noirs de la justice française, *par Denis Langlois*
A11. Le Dossier confidentiel de l'euthanasie
    par Igor Barrère et Étienne Lalou
A12. Discours américains, *par Alexandre Soljénitsyne*
A13. Les Exclus, *par René Lenoir*
A14. Souvenirs obscurs d'un Juif polonais né en France
    par Pierre Goldman
A15. Le Mandarin aux pieds nus, *par Alexandre Minkowski*
A16. Une Suisse au-dessus de tout soupçon, *par Jean Ziegler*
A17. La Fabrication des mâles
    par Georges Falconnet et Nadine Lefaucheur
A18. Rock babies, *par Raoul Hoffmann et Jean-Marie Leduc*
A19. La nostalgie n'est plus ce qu'elle était, *par Simone Signoret*
A20. L'Allergie au travail, *par Jean Rousselet*
A21. Deuxième Retour de Chine
    par Claudie et Jacques Broyelle et Évelyne Tschirhart
A22. Je suis comme une truie qui doute, *par Claude Duneton*
A23. Travailler deux heures par jour, *par Adret*
A24. Le rugby, c'est un monde, *par Jean Lacouture*
A25. La Plus Haute des solitudes, *par Tahar Ben Jelloun*
A26. Le Nouveau Désordre amoureux
    par Pascal Bruckner et Alain Finkielkraut
A27. Voyage inachevé, *par Yehudi Menuhin*
A28. Le communisme est-il soluble dans l'alcool ?
    par Antoine et Philippe Meyer
A29. Sciences de la vie et Société
    par François Gros, François Jacob et Pierre Royer
A30. Anti-manuel de français
    par Claude Duneton et Jean-Pierre Pagliano
A31. Cet enfant qui se drogue, c'est le mien,
    par Jacques Guillon

A32. Les Femmes, la Pornographie, l'Érotisme
  par Marie-Françoise Hans et Gilles Lapouge
A33. Parole d'homme, *par Roger Garaudy*
A34. Nouveau Guide des médicaments, *par le Dr Henri Pradal*
A35. Rue du Prolétaire rouge, *par Nina et Jean Kéhayan*
A36. Main basse sur l'Afrique, *par Jean Ziegler*
A37. Un voyage vers l'Asie, *par Jean-Claude Guillebaud*
A38. Appel aux vivants, *par Roger Garaudy*
A39. Quand vient le souvenir, *par Saul Friedländer*
A40. La Marijuana, *par Solomon H. Snyder*
A41. Un lit à soi, *par Évelyne Le Garrec*
A42. Le lendemain, elle était souriante…
  par Simone Signoret
A43. La Volonté de guérir, *par Norman Cousins*
A44. Les Nouvelles Sectes, *par Alain Woodrow*
A45. Cent Ans de chanson française
  par Chantal Brunschwig, Louis-Jean Calvet et Jean-Claude Klein
A46. La Malbouffe, *par Stella et Joël de Rosnay*
A47. Médecin de la liberté, *par Paul Milliez*
A48. Un Juif pas très catholique, *par Alexandre Minkowski*
A49. Un voyage en Océanie, *par Jean-Claude Guillebaud*
A50. Au coin de la rue, l'aventure
  par Pascal Bruckner et Alain Finkielkraut
A51. John Reed, *par Robert Rosenstone*
A52. Le Tabouret de Piotr, *par Jean Kéhayan*
A53. Le temps qui tue, le temps qui guérit
  par le Dr Fernand Attali
A54. La Lumière médicale, *par Norbert Bensaïd*
A55. Californie (Le Nouvel Âge)
  par Sylvie Crossman et Édouard Fenwick
A56. La Politique du mâle, *par Kate Millett*
A57. Contraception, Grossesse, IVG
  par Pierrette Bello, Catherine Dolto et Aline Schiffmann
A58. Marthe, *anonyme*
A59. Pour un nouveau-né sans risque, *par Alexandre Minkowski*
A60. La Vie, tu parles, *par Libération*
A61. Les Bons Vins et les Autres, *par Pierre-Marie Doutrelant*
A62. Comment peut-on être breton ?
  par Morvan Lebesque
A63. Les Français, *par Theodore Zeldin*
A64. La Naissance d'une famille *par T. Berry Brazelton*

Collection Points

SÉRIE BIOGRAPHIE

B1. George Sand ou le scandale de la liberté, *par Joseph Barry*
B2. Mirabeau, *par Guy Chaussinand-Nogaret*
B3. George Orwell, une vie, *par Bernard Crick*
B4. Colette, libre et entravée, *par Michèle Sarde*
B5. Raymond Chandler, le gentleman de Californie
    par Frank MacShane
B6. Lewis Carroll, une vie, *par Jean Gattégno*
B7. Van Gogh ou l'enterrement dans les blés
    par Viviane Forrester
B8. Frère François, *par Julien Green*
B9. Blaise Cendrars, *par Miriam Cendrars*
B10. Albert Camus, *par Herbert R. Lottman*

SÉRIE FILMS

dirigée par Jacques Charrière

F1. Octobre, *S.M. Eisenstein*
F2. La Grande Illusion, *Jean Renoir* (épuisé)
F3. Le Procès, *Orson Welles*
F4. Le Journal d'une femme de chambre, *Luis Buñuel*
F5. Deux ou trois choses que je sais d'elle, *Jean-Luc Godard*
F6. Jules et Jim, *François Truffaut*
F7. Le Silence, *Ingmar Bergman*

SÉRIE MUSIQUE

dirigée par François-Régis Bastide

Mu1. Histoire de la danse en Occident, *par Paul Bourcier*
Mu2. L'Opéra, t. I
     par François-René Tranchefort
Mu3. L'Opéra, t. II
     par François-René Tranchefort
Mu4. Les Instruments de musique, t. I
     par François-René Tranchefort
Mu5. Les Instruments de musique, t. II
     par François-René Tranchefort